JN152305

漫画から学ぶ生きる力
戦争編

もくじ

タイトル＆著者《ちょしゃ》さくいん（五十音順《ごじゅうおんじゅん》）

巻頭特集《かんとうとくしゅう》

漫画家《まんがか》おざわゆきが語《かた》る

語《かた》り継《つ》がれる戦争《せんそう》・災害《さいがい》の記憶《きおく》から生《う》まれた漫画《まんが》

おざわゆき

1964年《ねん》生まれ。愛知県出身《あいちけんしゅっしん》。2013年《ねん》に『凍《こお》りの掌《て》 シベリア抑留記《よくりゅうき》』にて、文化庁《ぶんかちょう》メディア芸術祭《げいじゅつさい》 マンガ部門《ぶもん》 新人賞《しんじんしょう》を受賞《じゅしょう》。2015年《ねん》、同作《どうさく》および『あとかたの街《まち》』の2作《さく》にて、第《だい》44回日本《かいにほん》漫画家協会賞《まんがかきょうかいしょう》コミック部門大賞《ぶもんたいしょう》を受賞《じゅしょう》。2016年《ねん》12月現在《がつげんざい》、「BE LOVE」にて『傘寿《さんじゅ》まり子』連載中《れんさいちゅう》、コミックス第《だい》1巻好評発売《かんこうひょうはつばい》中《ちゅう》。このほか、代表作《だいひょうさく》に『築地《つきじ》はらぺこ回遊記《かいゆうき》』『築地《つきじ》まんぷく回《かい》遊記《ゆうき》』などがある。

「そうか、こういう時代《じだい》だったんだ」と感《かん》じてもらうために描《えが》いた。

——戦後《せんご》から70年以上経過《ねんいじょうけいか》し、戦争《せんそう》を知《し》る世代《せだい》から、子《こ》、孫《まご》、ひ孫《まご》くらいまできてしまい、いよいよ戦争《せんそう》のリアルな体験《たいけん》を直接《ちょくせつ》聞《き》く機会《きかい》がなくなりつつあります。『あとかたの街《まち》』は母《はは》の体験《たいけん》、『凍《こお》りの掌《て》』は父《ちち》の体験《たいけん》がベースになっているそうですね。

『あとかたの街《まち》』の前《まえ》に『凍《こお》りの掌《て》』を描《か》いたのですが、まとめあげるまでにずいぶん時間《じかん》がかかりました。これを描《か》くことが漫画《まんが》を描《か》く当《とう》初《しょ》の目的《もくてき》だったと言《い》っても言《い》い過《す》ぎじゃないくらいです。

——『凍《こお》りの掌《て》』は、お父様《とうさま》のシベリア抑留《よくりゅう》（4ページ参照《さんしょう》）を描《えが》いた作品《さくひん》ですが、お父様《とうさま》は小《ちい》さい頃《ころ》からこのときの話《はなし》をしてくれたのでしょうか?

そうでもありませんでした。また、私《わたし》のほうもなんとなく聞《き》いていた程《てい》度《ど》でした。父《ちち》は奇跡的《きせきてき》にシベリアで生《い》き残《のこ》り、日本《にほん》に帰《かえ》れたのですが、それはとてもすごそうな話《はなし》だけど、私《わたし》は戦争《せんそう》に関《かん》してそれほど知識《ちしき》がありませんでしたし「これは、きちんと聞《き》いた話《はなし》を書《か》きとめて、同時《どうじ》に戦《せん》争《そう》のことをもっとよく調《しら》べないと父《ちち》の話《はなし》をすべて理解《りかい》できないな」と思《おも》いました。しかし、私《わたし》もあまり父《ちち》と話《はな》す時間《じかん》がとれず、父《ちち》もあまり語《かた》りたがりませんでした。そうして時間《じかん》だけが過《す》ぎてしまいました。

——お父様《とうさま》が語《かた》りたがらないのは「つらくて思《おも》い出《だ》したくない」からでしょうか?

そうですね、父《ちち》にとって戦争《せんそう》の体《たい》験《けん》は、かなり重《おも》い出来事《できごと》ばかりです。シベリアでは言葉《ことば》にできないほど、つらい目《め》に何度《なんど》も何度《なんど》もあって、やっと日本《にほん》に帰《かえ》りついたんです。だからそれは父《ちち》にとって、あまり人《ひと》に話《はな》したいようなお話《はなし》ではないようです。

戦場《せんじょう》や強制的《きょうせいてき》な労働《ろうどう》のつらさだけでなく、日本人《にほんじん》に対《たい》する洗脳《せんのう》や、赤《せっ》化教育《かきょういく》※と、苦労《くろう》のすえやっと帰《かえ》ってきた日本《にほん》での、父《ちち》たち帰国者《きこくしゃ》に対《たい》する世間《せけん》からの差別的《さべつてき》なあつかい、赤狩《あかが》り※（共産主義者差別《きょうさんしゅぎしゃさべつ》）があったのです。就職面接《しゅうしょくめんせつ》のときも、シベ

※赤化教育《せっかきょういく》：第二次大戦中《だいにじたいせんちゅう》にソビエト連邦《れんぽう》でおこなわれた共産主義思想教育《きょうさんしゅぎしそうきょういく》。
※赤狩《あかが》り：第二次世界大戦中《だいにじせかいたいせんちゅう》、戦後《せんご》におこなわれた共産主義《きょうさんしゅぎ》スパイをとらえる政策《せいさく》。

リア帰国者《きこくしゃ》というだけで差別《さべつ》され、断《ことわ》られたこともあったそうです。ソビエト連邦《れんぽう》（ソ連《れん》）のスパイだと思《おも》われたりしたんですね。それでシベリアでのことを話《はな》したがらないのです。

――そういった当時《とうじ》の日本《にほん》の世相《せそう》、雰囲気《ふんいき》を描《えが》くのに、かなりページを割《さ》いています。

私《わたし》は、当時《とうじ》の日本《にほん》の生活感《せいかつかん》と、シベリアでの「そこに生《い》きていた」「そこで生活《せいかつ》していた」リアリティ、極寒《ごっかん》の知《し》らない土地《とち》にとらわれて、どんな思《おも》いで日々《ひび》を生活《せいかつ》していたかを描《か》きたかったのです。その姿《し》勢《せい》は『あとかたの街《まち》』でも同《おな》じです。読者《どくしゃ》に今《いま》との共通点《きょうつうてん》などを身《み》近《ちか》に感《かん》じてもらうことで、非日常《ひにちじょう》的《てき》な空襲《くうしゅう》の下《もと》でもなお日常生活《にちじょうせいかつ》があって、今日《きょう》につながる部分《ぶぶん》があることを伝《つた》えたいのです。

――逆《ぎゃく》に言《い》えば、〝戦争《せんそう》の記憶《きおく》〟は、今《いま》の生活《せいかつ》からは想像《そうぞう》もつかないほどに遠《とお》くなっているのかもしれません。

私《わたし》が子《こ》どものころは、今《いま》とちがい戦争《せんそう》の爪《つめ》あとと記憶《きおく》がまだ身近《みぢか》に少《すこ》し残《のこ》っていました。それが漫画《まんが》にもあらわれていて、短編《たんぺん》などで戦争《せんそう》を描《か》く方《かた》もわりといました。中沢啓治《なかざわけいじ》※先生《せんせい》は『はだしのゲン』を連載《れんさい》されていて、私《わたし》は被害《ひがい》のリアルさと、直接的《ちょくせつてき》な痛《いた》みの深《ふか》さを作品《さくひん》から感《かん》じました。水木《みずき》しげる※先生《せんせい》は戦争《せんそう》を肌感覚《はだかんかく》で描《えが》いていて、私《わたし》のひとつの目《もく》標《ひょう》であり、大《おお》きく影響《えいきょう》を受《う》けたと思《おも》います。実際《じっさい》に南《なん》方《ぽう》に行《い》かれて悲惨《ひさん》な状況《じょうきょう》にあわれたことを、ただ悲劇《ひげき》的《てき》に描《か》くだけでなく、勇《いさ》ましいだけではなく、生活者《せいかつしゃ》の視点《してん》からコミカルに描《えが》いていました。

戦争《せんそう》で何《なに》を描《か》くかという点《てん》では、だんだん多様《たよう》になってきたと思《おも》っています。戦争《せんそう》そのものを描《か》くのもあるし、それをモチーフにインスピレーションをもらって描《か》くというのもある。今《いま》は……、今《いま》の生活《せいかつ》とはまったく違《ちが》うグレーの世界《せかい》をどのように描《か》くか、題材《だいざい》として興味深《きょうみぶか》いものとしてあつかわれ始《はじ》めたのかなという気《き》がします。

©おざわゆき／講談社

今日《きょう》マチ子《こ》※さんは象徴的《しょうちょうてき》で、ファンタジーのように少女《しょうじょ》が戦争《せんそう》するという……、ありえないけれどそれによって、より深《ふか》い傷《きず》を描《えが》き出《だ》す。そんな人《ひと》たちがつぎつぎ出《で》てきていると思《おも》います。

自分《じぶん》としては作品《さくひん》には、当時《とうじ》その世界《せかい》に生《い》きていた登場人物《とうじょうじんぶつ》たちが、肌《はだ》に感《かん》じる日々《ひび》の〝風《かぜ》〟を描《えが》こうとこころがけています。出発点《しゅっぱつてん》に〝戦争《せんそう》〟を選《えら》んだのは純粋《じゅんすい》に描《か》きたかっ

『凍《こお》りの掌《て》 シベリア抑留記《よくりゅうき》』

著《ちょ》：おざわゆき　発行《はっこう》：講談社《こうだんしゃ》

主人公《しゅじんこう》の小澤《おざわ》は、第二次世界大戦末期《だいにじせかいたいせんまっき》に学徒出陣《がくとしゅつじん》※、補充兵《ほじゅうへい》として極寒《ごっかん》の北満州《きたまんしゅう》に送《おく》られた。停戦後《ていせんご》、小澤《おざわ》はソ連《れん》の捕虜《ほりょ》としてシベリアのキヴダ収容所《しゅうようじょ》に連《つ》れて行《い》かれる。収容所《しゅうようじょ》での過酷《かこく》な日々《ひび》、そして無事日本《ぶじにほん》に帰国《きこく》することができた小澤《おざわ》を待《ま》ち受《う》けていた世間《せけん》の偏見《へんけん》と差別《さべつ》の目《め》……。著者《ちょしゃ》の父《ちち》の戦争体験《せんそうたいけん》をもとに描《えが》かれた作品《さくひん》。

※中沢啓治《なかざわけいじ》：29ページへ　※水木《みずき》しげる：10～13ページへ
※今日《きょう》マチ子《こ》：漫画家《まんがか》。イラストレーター。主《おも》な代表作《だいひょうさく》には、沖縄《おきなわ》のひめゆり学徒隊《がくとたい》に着想《ちゃくそう》を得《え》て描《か》いた漫画《まんが》『cocoon』やお菓子《かし》と女《おんな》の子《こ》の幻想戦記《げんそうせんき》『いちご戦争《せんそう》』などがある。
※学徒出陣《がくとしゅつじん》：20歳以上《さいいじょう》の高等教育機関《こうとうきょういくきかん》の文系学生《ぶんけいがくせい》を徴兵《ちょうへい》し、海外《かいがい》の戦場《せんじょう》に派遣《はけん》すること。

たからで、人々《ひとびと》が戦争《せんそう》に何《なん》を感《かん》じ、どのように考《かんが》えていたのかに興味《きょうみ》がありました。

——たしかに現在《げんざい》も、漫画《まんが》には戦争《せんそう》ものと呼《よ》ばれる作品《さくひん》はたくさんありますし、作風《さくふう》も実録的《じつろくてき》なものから、ヒロイックな作品《さくひん》までとてもはばが出《で》てきています。

戦後《せんご》、時間《じかん》が経過《けいか》していますので、どうしても皮膚感覚《ひふかんかく》でわからないことがどんどん増《ふ》えて、架空《かくう》の物語《ものがたり》のようになってきてます。しかし過去《かこ》の日々《ひび》の物語《ものがたり》を、面白《おもしろ》いと感《かん》じてもらえれば、当時《とうじ》に興味《きょうみ》を持《も》つことができるかもしれません。漫画《まんが》とはそういう位置《いち》であると私《わたし》はずっと前《まえ》から思《おも》っています。「そうかこういう時《じ》代《だい》だったんだ」と感《かん》じてもらえると思《おも》います。

——ニュースを見《み》て視聴者《しちょうしゃ》が「知《し》る」のとはちがう、漫画《まんが》を読《よ》んで読者《どくしゃ》が「当時《とうじ》を感《かん》じる」ということですね。

そして、読者《どくしゃ》のなかから「私《わたし》も描《か》こうかな」という人《ひと》があらわれるかもしれない。戦争《せんそう》というテーマはそうして次《つぎ》の世代《せだい》に引《ひ》きつがれていくのだろうと思《おも》います。

——戦時下《せんじか》の日常生活《にちじょうせいかつ》を描《えが》く意味《いみ》は大《おお》きいのですね。人々《ひとびと》の食生活《しょくせいかつ》、どのような食事《しょくじ》をし、どうやって飢《う》えをしのいだのか。今日《こんにち》、〝飢《う》える〟体《たい》験《けん》は、通常《つうじょう》あまり身近《みぢか》ではないと思《おも》いますが、シベリアで、そして日本《にほん》の名古屋《なごや》を舞台《ぶたい》に、くわしく描《えが》かれています。例《たと》えば〝お手玉《てだま》のエピソード〟など、歴史《れきし》の教科書《きょうかしょ》からは感《かん》じとれない当時《とうじ》の生活《せいかつ》の様子《ようす》です。

「お手玉《てだま》」には「お菓子袋《かしぶくろ》」的《てき》な意《い》味《み》もあって、「遊《あそ》んだら後《あと》で食《た》べよう」というようなことは、今《いま》ではもう忘《わす》れられた情景《じょうけい》だと思《おも》います。でも当時《とうじ》は、学童疎開《がくどうそかい》のときに親御《おやご》さんが、子《こ》どもたちに無事《ぶじ》に食《た》べものをとどける工夫《くふう》でもあったのです。いじめっ子《こ》や、子《こ》どもたちの面倒《めんどう》を見《み》るはずの大人《おとな》たちに取《と》り上《あ》げられたりするので、かくれて食《た》べたりできるようにと広《ひろ》まった知恵《ちえ》みたいで

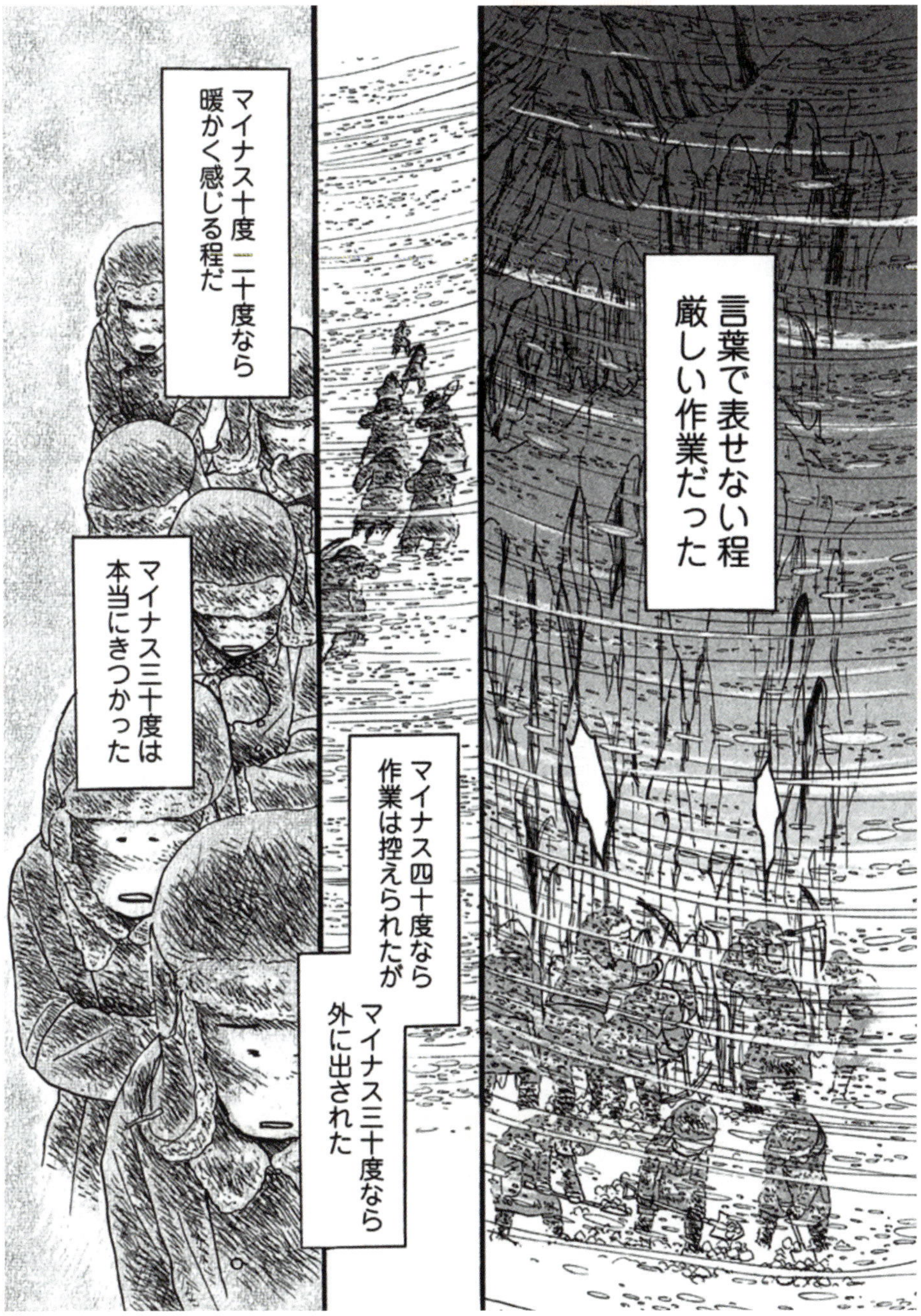
言葉で表せない程
厳しい作業だった
マイナス四十度なら
作業は控えられたが
マイナス三十度なら
外に出された
マイナス十度二十度なら
暖かく感じる程だ
マイナス三十度は
本当にきつかった

▲シベリアの収容所《しゅうようじょ》では、極寒《ごっかん》の中《なか》、厳《きび》しい労働《ろうどう》が課《か》せられていた。
（『凍《こお》りの掌《て》 シベリア抑留記《よくりゅうき》』より）

す。もともとお手玉《てだま》の中身《なかみ》は小豆《あずき》、つまり食《た》べものなので、最初《さいしょ》はおもちゃとして遊《あそ》んでも、こまればいずれ食《た》べるのは自然《しぜん》かもしれません。

　戦時下《せんじか》ではたとえ疎開地《そかいち》でさえも、子《こ》どもたちの命《いのち》をうばうような出来《でき》事《ごと》が多《おお》いと思《おも》います。それでも、あきらめない命《いのち》の力《ちから》の強《つよ》さ、生《い》き残《のこ》ろうという意思《いし》の強《つよ》さを作中《さくちゅう》から感《かん》じてもらえればと思《おも》います。

——日本人《にほんじん》は、かつてこんな状況《じょうきょう》でも生《い》きぬいたということですね。

　今《いま》でも震災《しんさい》など、突然《とつぜん》信《しん》じられないようなことはおこる。現代《げんだい》の日本《にほん》に住《す》んでいても現実《げんじつ》に今《いま》もおこっていると思《おも》います。

　どうしたらいいのか、どうしようもない、その日常《にちじょう》に身《み》を置《お》くしかない、そんなとき人《ひと》は強《つよ》くならないと生《い》き残《のこ》れないことに気《き》づくと思《おも》うのです。どうしようもないとあきらめる一方《いっぽう》で、心《こころ》も体《からだ》も「かまえ」ができてくると思《おも》うのです。

——あきらめで終《お》わらず、そこからはい上《あ》がる。大震災《だいしんさい》や大空襲《だいくうしゅう》で焼《や》け野原《のはら》になってもはい上《あ》がると。ところで、戦時下《せんじか》の名古屋《なごや》で大地震《だいじしん》がおきたことはあまり知《し》られていません。漫画化《まんがか》された例《れい》も少《すく》ないかと思《おも》いますが。

　実《じつ》は名古屋《なごや》の人《ひと》も大地震《だいじしん》のことはあまり知《し》らないようです。大空襲《だいくうしゅう》すらあまり知《し》らない人《ひと》もいます。短期《たんき》間《かん》にひどいことがたて続《つづ》けにおこったので、母《はは》はもう空襲《くうしゅう》と一緒《いっしょ》くたに「すごかった」ってなっています。改《あらた》めて詳細《しょうさい》に調《しら》べるまで、私《わたし》もわかっていませんでした。

——地震《じしん》で建物《たてもの》などが壊《こわ》れたところに空襲《くうしゅう》って……。本当《ほんとう》に凄惨《せいさん》です。

　地震《じしん》の被害《ひがい》については、数字的《すうじてき》には正確《せいかく》にはわからないみたいで、写《しゃ》真《しん》や記録《きろく》が少《すこ》しずつ残《のこ》っているだけなんです。ただ、あの大規模《だいきぼ》な地震《じしん》ですから本当《ほんとう》にひどい状況《じょうきょう》だったかと。人《ひと》もかなり亡《な》くなっていますし。

——『あとかたの街《まち》』で、初《はじ》めて知《し》った人《ひと》もいると思《おも》いました。埋《う》もれていた史実《しじつ》が改《あらた》めて表《おもて》に出《で》た。

　空襲《くうしゅう》の前日譚《ぜんじつたん》として前年《ぜんねん》から描《か》いていく中《なか》で、やはり地震《じしん》は外《はず》せないと思《おも》うようになって。戦争中《せんそうちゅう》なので、表《おもて》地震《じしん》の被害情報《ひがいじょうほう》を表《おもて》に出《だ》せない、表《おもて》に出《で》る情報《じょうほう》と実際《じっさい》の被害《ひがい》のギャップが大《おお》きい災害《さいがい》だったと思《おも》うのです。

——戦争《せんそう》の情報《じょうほう》だけでなく、地震《じしん》の情《じょう》報《ほう》も新聞《しんぶん》はほとんど掲載《けいさい》しない。「なんで…？」と主人公《しゅじんこう》は素朴《そぼく》に思《おも》い、数々《かずかず》の経験《けいけん》から「戦争《せんそう》には勝《か》てないと、私《わたし》たち前《まち》から知《し》ってた」という、最後《さいご》の発言《はつげん》を生《う》みます。

　いろいろな場面《ばめん》で、圧倒的《あっとうてき》な敵《てき》の力《ちから》を見《み》たり感《かん》じたりして「どう考《かんが》えても勝《か》てっこない」という普通《ふつう》は思《おも》っていても言《い》えないセリフが、つい口《くち》から出《で》てしまったのでしょう。

　でも、だれもその発言《はつげん》にはふれず、流《なが》されちゃう。相手《あいて》の年齢《ねんれい》（目上《めうえ》の人《ひと》）も場《ば》も考《かんが》えずに言《い》っちゃったけど……。

——そういうことを普通《ふつう》は言《い》えない世間《せけん》の雰囲気《ふんいき》なわけですよね。

　やはり、現在《げんざい》にくらべてそれは強《つよ》かったと思《おも》いますし、何《なに》も言《い》わないうちに察知《さっち》してしまう人間《にんげん》が出来上《できあ》がっていて、自由《じゆう》、不自由《ふじゆう》を感《かん》じる以前《いぜん》にそういう人間《にんげん》が育《そだ》っている。もう本音《ほんね》を言《い》う以前《いぜん》の問題《もんだい》です。

　現代人《げんだいじん》より血《ち》のつながりに対《たい》する感覚《かんかく》も強《つよ》くて、家族《かぞく》とかつながりを強《つよ》くしなければならない状況《じょうきょう》だった。いわゆる「息苦《いきぐる》しさでできている」人《ひと》たちがいて、そういうなかをかいくぐって生《い》きている人《ひと》たちがいる。

——それだけに戦後《せんご》の解放感《かいほうかん》もすごかった？

　逆《ぎゃく》に「なんだコレ？」みたいな感《かん》じもあったみたいです。

——隣組《となりぐみ》などの監視制度《かんしせいど》のもとで表現《ひょうげん》の自由《じゆう》どころか発言《はつげん》の自由《じゆう》さえもないわけですよね。そんななかでも主人公《しゅじんこう》の屈託《くったく》のない強《つよ》さに希望《きぼう》を感《かん》じました。一方《いっぽう》、お父様《おとうさま》の、シベリアから帰国《きこく》して感《かん》じた絶望《ぜつぼう》はまた別《べつ》ですよね。

　あんなに苦労《くろう》して日本《にほん》に帰《かえ》ってきたのに、なんでこんな目《め》（赤狩《あかが》りや、差別《さべつ》など）に会《あ》わなきゃならないのかと。

——「黙《もく》して語《かた》らず」、な人《ひと》も多《おお》かったでしょうね。

　父《ちち》も「忘《わす》れていたい記憶《きおく》」だったわけです。ちょっとずつ、話《はなし》を前後《ぜんご》させながら思《おも》い出《だ》してもらったわけですが。

——時系列《じけいれつ》を整理《せいり》するのが大変《たいへん》そうですね。

　でも、裁判所《さいばんしょ》に勤《つと》めていたからか

©おざわゆき／講談社

◀空襲《くうしゅう》によって火《ひ》の海《うみ》となった街《まち》で、逃《に》げまわる主人公《しゅじんこう》たち。（『あとかたの街《まち》』より）

『あとかたの街《まち》』
著《ちょ》：おざわゆき　発行《はっこう》：講談社《こうだんしゃ》
太平洋戦争末期《たいへいようせんそうまっき》の昭和《しょうわ》19年《ねん》、名古屋《なごや》。国民学校高等科《こくみんがっこうこうとうか》に通《かよ》う1年生《いちねんせい》の木村《きむら》あいは、自分《じぶん》が戦争《せんそう》に参加《さんか》している気《き》などなく、日常《にちじょう》を過《す》ごしていた。しかし、そんな彼女《かのじょ》を巨大地震《きょだいじしん》と大空襲《だいくうしゅう》がおそう。著者《ちょしゃ》の母《はは》の少女《しょうじょ》時代《じだい》の実体験《じったいけん》をもとにフィクションをまじえた一作《いっさく》。

整理《せいり》して話《はな》すのはうまいですね。母《はは》は、逆《ぎゃく》にポイント、ポイントの出来《でき》事《こと》をバラバラと話《はな》して、その前後《ぜんご》どんな生活《せいかつ》していたのか忘《わす》れてたり。空襲《くうしゅう》のイメージ自体《じたい》は強烈《きょうれつ》な印象《いんしょう》で覚《おぼ》えているけど、その前後《ぜんご》は忘《わす》れている。記憶《きおく》の残《のこ》り方《かた》がふたりはぜんぜんちがうんです。

――お母様《かあさま》と実際《じっさい》に名古屋《なごや》に行《い》って現場《げんば》でポイントを聞《き》いたりしたそうですね。

あらかじめ大筋《おおすじ》を聞《き》いてから、実際《じっさい》に生《う》まれたところに行《い》き、逃《に》げる道筋《みちすじ》、経路《けいろ》を歩《ある》きながら思《おも》い出《だ》していきました。街《まち》はもうまったく変《か》わりましたが、「こっちに向《む》かって……」とか、どのくらい走《はし》ったかなど距離感《きょりかん》がよくわかった。位置関係《いちかんけい》や当時《とうじ》見《み》えたであろう風景《ふうけい》とか。

――空襲《くうしゅう》で燃《も》えさかる街《まち》を、どのくらいさまよい歩《ある》いたんでしょうね。そうそう歩《ある》けないようにも思《おも》います。

う～ん、2キロくらいかしら。直線的《ちょくせんてき》ではなく複雑《ふくざつ》に動《うご》いたみたいです。東京大空襲資料館《とうきょうだいくうしゅうしりょうかん》には、どんなふうに逃《に》げまわったかわかるような展示《てんじ》があるんですが、あまり広《ひろ》くない範囲《はんい》で火《ひ》の海《うみ》をあちこち逃《に》げまわったようですね。

――東京大空襲《とうきょうだいくうしゅう》は、多《おお》くの作品《さくひん》があるように思《おも》うのですが、名古屋《なごや》はあまり見《み》ません。一方《いっぽう》「防空壕《ぼうくうごう》に入《い》れてもらえない」話《はなし》で、逆《ぎゃく》に中《なか》の人《ひと》が熱《ねつ》で焼《や》け死《し》ぬとか、これは全国《ぜんこく》の都《と》市空爆共通《しくうばくきょうつう》の体験《たいけん》のようですね。『凍《こお》りの掌《て》』では、ソ連兵《れんへい》のまずしさが印象深《いんしょうぶか》かったです。南方戦線《なんぽうせんせん》ではアメリカ軍《ぐん》の豊《ゆた》かさと日本軍《にほんぐん》のまずしさの対比《たいひ》がよく描《えが》かれますが、勝《か》ったはずのソ連兵側《れんへいがわ》が、よりまずしかったり食料事情《しょくりょうじじょう》がひどかったり。

ソ連兵《れんへい》は体《からだ》が大《おお》きく生《い》きる力《ちから》がすごい。そして粗野《そや》です。生《い》きることに貪欲《どんよく》で食事《しょくじ》もまず食《た》べることが第《だい》一《いち》。きびしいシベリアで生《い》きぬく力《ちから》が日本人《にほんじん》とはまったくちがう。きびしい環境下《かんきょうか》で生《い》きる人々《ひとびと》なんです。モノがなくて当《あ》たり前《まえ》。でも清貧《せいひん》ではなく、ないならないでいいけど、あるなら欲《ほ》しいという。

——「壊《こわ》れた」という腕時計《うでどけい》を治《なお》してあげるんだけど、実《じつ》はリューズを回《まわ》してネジを巻《ま》いただけというエピソードとか、そこにリアルな当時《とうじ》のソ連兵《れんへい》の姿《すがた》を感《かん》じます。

そこだけ見《み》ると、まるで知的《ちてき》レベルが低《ひく》いかのようですけど、単《たん》に「知《し》らないだけ」なのでしょう。日《に》本人《ほんじん》はそれを逆手《さかて》にとってタバコをせしめたりするわけです。そういう「知《し》る」機会《きかい》もなく生《い》きてきた人《ひと》がソ連《れん》には普通《ふつう》にいた。日本兵《にほんへい》からみればとまどいはいっぱいあったでしょうね。

——一方《いっぽう》、日本人《にほんじん》の職人的《しょくにんてき》な気質《きしつ》や工芸《こうげい》が描《か》かれています。見《み》ればよけいに日本《にほん》に帰《かえ》りたくなるんでしょうね。それで、やっとの思《おも》いで命《いのち》をつないで日本《にほん》に帰《かえ》ることができたと思《おも》ったら、「なんだこの状況《じょうきょう》は!?」って。怒《いか》りというより「あれれ?」みたいな描写《びょうしゃ》があります。

あれは、父《ちち》の本当《ほんとう》の生《なま》の感想《かんそう》ですね。もちろん、着飾《きかざ》って出迎《でむか》える女《じょ》性《せい》を見《み》て、普通《ふつう》に「きれいだな」って感想《かんそう》を持《も》つ人《ひと》もいたと思《おも》います。でも父《ちち》は久《ひさ》しぶりに見《み》た日本人女性《にほんじんじょせい》を見《み》て「なんだこの人《ひと》たちは??」って。きっと日本国内《にほんこくない》にいた人《ひと》たちだって苦労《くろう》して、それでも着飾《きかざ》って出《で》むかえたのでしょうけれど……。でも「むかえてくれてありがとう」みたい

どこへも行かんようにしてあるんだわ
ほれ 見ろ
共産党の人間も出迎えに来とるでェ
あっちの方へ行かんようにだわ
…それは?
シベリアからの復員兵は「レッドパージ《赤ボイコット》」だと
いわゆる「アカ」だわ
共産主義の事 ソ連の旗は赤いだろう?
ああ…
槌《つち》は労働者 鎌は農夫の事だわ
246

▲日本《にほん》にもどって感《かん》じた違和感《いわかん》のひとつは、シベリアからの復員兵《ふくいんへい》が区別《くべつ》されていること。

©おざわゆき／講談社

な、美《うつく》しい感《かん》じにならないわけです。本当《ほんとう》は美《うつく》しい感動的《かんどうてき》な再会《さいかい》の風景《ふうけい》になるはずが、父《ちち》はそんな風《ふう》にはなれなかった。日本《にほん》に帰《かえ》ればそれですべてOKとなるわけじゃない。それが戦争《せんそう》であり、生《い》きのびた抑留者《よくりゅうしゃ》の結果《けっか》なのです。

——名古屋《なごや》でもシベリアでもまわりへの同調《どうちょう》を強制《きょうせい》され、精神的《せいしんてき》にもいやな境遇《きょうぐう》が共通《きょうつう》です。

父《ちち》は戦前《せんぜん》の日常生活《にちじょうせいかつ》から戦中《せんちゅう》の軍国主義《ぐんこくしゅぎ》、シベリアでの共産主義《きょうさんしゅぎ》、そして戦後日本《せんごにほん》の価値観《かちかん》と、意識《いしき》をガラリと変《か》えさせられる局面《きょくめん》を、わずか数年程度《すうねんていど》のあいだに何回《なんかい》も体験《たいけん》しました。しかも、年齢的《ねんれいてき》には二《に》十歳《じゅっさい》前《まえ》に出兵《しゅっぺい》し帰国時《きこくじ》でも20代《だい》半《なか》ばという多感《たかん》な時期《じき》ですから、もう絶対《ぜったい》に忘《わす》れられない。なかにはトラウマになる人《ひと》もいて、だから「言《い》いたくない」ってなるんです。

——戦後《せんご》に産《う》まれた世代《せだい》はそういうなかでかぎられた情報《じょうほう》をもとにドラマにしたて、伝《つた》えていくわけですが、「戦争《せんそう》の悲劇《ひげき》の伝承者《でんしょうしゃ》」みたいに言《い》われるのは勘弁《かんべん》してほしいと感《かん》じている方《かた》もいると思《おも》います。

いえ、まあ仕方《しかた》がないといいますか、確《たし》かにたとえば「戦国時代《せんごくじだい》の漫《まん》画《が》」を描《か》いたからといって「戦国時《せんごくじ》代《だい》の伝承者《でんしょうしゃ》」とは言《い》われないわけです。でもそれはそれとしてそういう風《ふう》に言《い》ってもらえるのはありがたいことだと思《おも》っています。

時代《じだい》が現代《げんだい》からだいぶはなれれば、物語《ものがたり》としてある程度《ていど》切《き》りはなしてデフォルメとかできるのでしょうけれど、まだ（太平洋戦争当時《たいへいようせんそうとうじ》のことは）、現代《げんだい》との連続性《れんぞくせい》という意味《いみ》では、特《とく》に生活《せいかつ》などを細《こま》かくリアルに描《えが》いている場合《ばあい》、大《おお》きなデフォルメは、ゆるされないのではと感《かん》じています。

つまり、「クリエイト」ではなく「伝承《でんしょう》」あつかいです。すでに、いろいろ試《こころ》みている人《ひと》ももちろんいますけれどね。

戦争《せんそう》をテーマにする出発点《しゅっぱつてん》としては「戦争《せんそう》の伝承《でんしょう》」というようなつもりはないんですけれど、結果《けっか》としてはそう位置《いち》づけられるのはおかしくはない。そう言《い》われることも、とりあげられることも、ありがたいことだと思《おも》っています。

——学校《がっこう》で歴史《れきし》の勉強《べんきょう》はみんなそれなりにするわけですが、昭和史《しょうわし》を凄《せい》惨《さん》な戦争《せんそう》の実体験《じったいけん》だけでなく、このように生活者《せいかつしゃ》の視点《してん》から描《えが》き、再生《さいせい》するという試《こころ》みは「生《い》きる力《ちから》」を伝《つた》えていくためにも重要《じゅうよう》だと思《おも》いました。生《う》まれる前《まえ》の出来事《できごと》を、まるで自分《じぶん》の思《おも》い出《で》の一《ひと》コマのように感《かん》じる充実《じゅうじつ》した読書《どくしょ》になりました。

最後《さいご》に……、1巻目《かんめ》から家族《かぞく》といっしょににげまわったあのニワトリ、お話《はなし》の最後《さいご》まで生《い》き残《のこ》りましたよね。

そうですね。意識《いしき》してたわけじゃないんですけど生《い》き残《のこ》ったことになってます。でもほかの登場人物《とうじょうじんぶつ》たちのように特《とく》に生《い》き残《のこ》らせようと意《い》識《しき》したわけではないです。ニワトリについては一部読者《いちぶどくしゃ》からも、空襲《くうしゅう》のなかで普通《ふつう》なら生《い》き残《のこ》れないと言《い》われたりしました。しかし結局《けっきょく》生《い》き残《のこ》っちゃいました。それも良《よ》かったのかなと思《おも》っています。

——兵隊《へいたい》を出《だ》せないなど、「お国《くに》の役《やく》に立《た》たない家族《かぞく》」と近隣《きんりん》からいやがらせを受《う》けたりしますが、このニワトリはオスで卵《たまご》も産《う》みませんし、それこそ家族《かぞく》の中《なか》では一番《いちばん》の役立《やくた》たずです。にもかかわらず最後《さいご》まで生《い》き残《のこ》ります。そこに「奇跡《きせき》を感《かん》じ、生《い》きる希望《きぼう》を見《み》た」気《き》がしました。

空襲《くうしゅう》で街《まち》が焼《や》け、たくさんの人《ひと》が死《し》んでいく中《なか》で、小《ちい》さな命《いのち》が生《い》き残《のこ》る。そういったこともあったのかな、って読《よ》んでもらえばと思《おも》います。

——どうもありがとうございました。

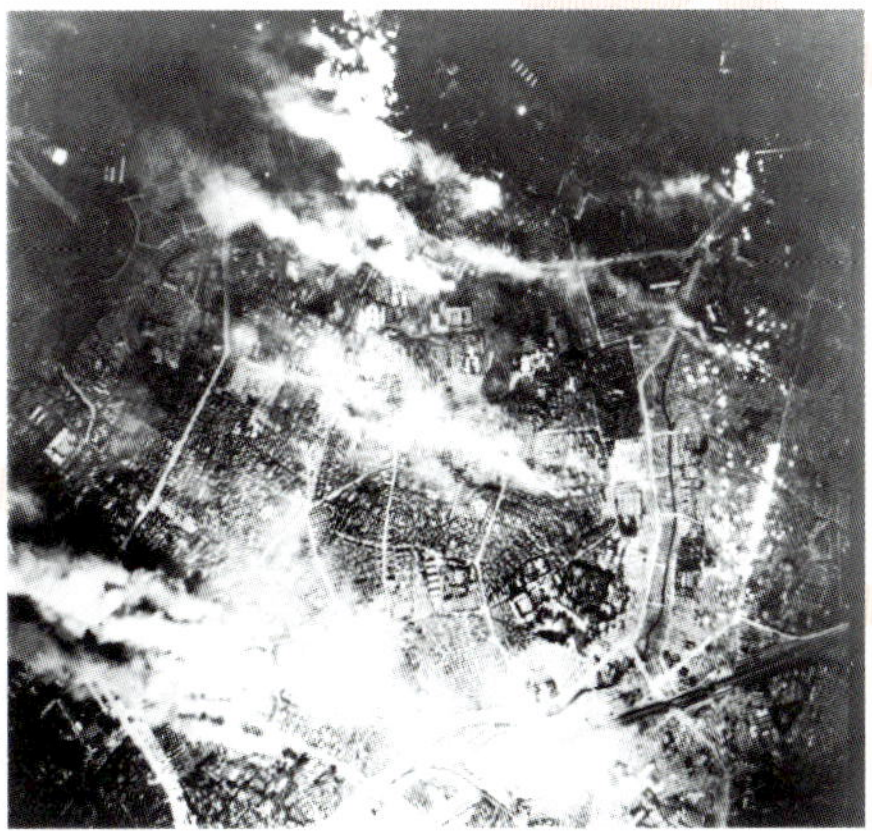

▶爆弾《ばくだん》を投下《とうか》するアメリカの爆撃機《ばくげきき》B-29（右《みぎ》）。アメリカ軍《ぐん》による空襲《くうしゅう》を受《う》けた東京市街《とうきょうしがい》の様子《ようす》（左《ひだり》）。

「あとにも先《さき》にも一《いち》度《ど》だけでした流《りゅう》線《せん》型《けい》の機《き》体《たい》をスケッチして見《み》せてくれたのです」

名機《めいき》「零戦《ぜろせん》」を世《よ》に送《おく》り出《だ》すまでの堀越二郎《ほりこしじろう》の開発《かいはつ》の日々《ひび》。

名機《めいき》「零戦《ぜろせん》」を世《よ》に送《おく》り出《だ》した堀越二郎《ほりこしじろう》の零戦《ぜろせん》開発《かいはつ》の半生《はんせい》を描《えが》いた作品《さくひん》であり、同時《どうじ》に空《そら》を飛《と》ぶことにあこがれ、零戦《ぜろせん》に乗《の》って国《くに》を守《まも》るために死《し》んでいく若者《わかもの》たちの思《おも》いを静《しず》かに描《えが》いています。

堀越二郎《ほりこしじろう》は三菱《みつびし》の設計技師《せっけいぎし》でした。入社《にゅうしゃ》してわずか5年《ねん》で設計主任《せっけいしゅにん》となった堀越《ほりこし》は、新《あたら》しい戦闘機《せんとうき》の設計《せっけい》に着手《ちゃくしゅ》します。

世界《せかい》をまわりヨーロッパの先進技術《せんしんぎじゅつ》にふれた彼《かれ》は、その経験《けいけん》を生《い》かして試作機《しさくき》を作《さく》成《せい》します。昭和《しょうわ》8年《ねん》7月《がつ》、初《はじ》めて設計《せっけい》を手《て》がけた「七式単座艦上戦闘機《ななしきたんざかんじょうせんとうき》」のテスト飛行《ひこう》が河川敷《かせんじき》で行《おこな》われましたが、失敗《しっぱい》に終《お》わってしまいました。それでもこのテスト飛行《ひこう》は、彼《かれ》の中《なか》で数々《かずかず》の可能性《かのうせい》を次《つぎ》の機体《きたい》につないでくれました。

視力《しりょく》が弱《よわ》かった堀越《ほりこし》は自分《じぶん》でパイロットになって空《そら》を飛《と》ぶことができませんでした。そのかわり、子《こ》どものころから飛行小説《ひこうしょうせつ》を読《よ》みふけり、空想《くうそう》の中《なか》で空《そら》を飛《と》ぶことが身《み》について育《そだ》ちました。「スケッチしながらその機体《きたい》がどんなふうに飛《と》ぶのかおおよそ見当《けんとう》がつくのです」と、彼《かれ》は周囲《しゅうい》の人々《ひとびと》に語《かた》っています。

病弱《びょうじゃく》だった堀越《ほりこし》は、床《とこ》に伏《ふ》しているときも心《こころ》のなかでは大空《おおぞら》を飛《と》び続《つづ》けていたのです。

作品《さくひん》紹介《しょうかい》

『黄色《きいろ》い零戦《ぜろせん》』
著《ちょ》：小澤《おざわ》さとる　発行《はっこう》：世界文化社《せかいぶんかしゃ》

1998年《ねん》、創作活動《そうさくかつどう》の長《なが》い沈黙《ちんもく》を破《やぶ》って小澤《おざわ》さとるが描《えが》いた長編作品《ちょうへんさくひん》。日本《にほん》の複葉機艦上戦闘機《ふくようきかんじょうせんとうき》の歴史《れきし》は、大正《たいしょう》11年の三菱《みつびし》の10式艦上戦闘機《しきかんじょうせんとうき》に始《はじ》まる。昭和《しょうわ》7年《ねん》には純国産《じゅんこくさん》の中島《なかじま》の90式艦上戦闘機《しきかんじょうせんとうき》が誕生《たんじょう》し性能《せいのう》も外国機《がいこくき》に近《ちか》づいてきた。

複葉機《ふくようき》の「赤《あか》とんぼ」を見上《みあ》げていた設計技師《せっけいぎし》の堀越二郎《ほりこしじろう》は、その後《ご》、九式単葉戦闘機《きゅうしきたんようせんとうき》を設計《せっけい》する。昭和《しょうわ》12年実戦《ねんじっせん》に投入《とうにゅう》された九式単葉戦闘《きゅうしきたんようせんとう》機《き》は中国空軍《ちゅうごくくうぐん》のカーチス・ホークと空中戦《くうちゅうせん》をおこない片翼《かたよく》を失《うしな》うが、バランスを取《と》り飛行《ひこう》を続《つづ》け上海《しゃんはい》の味方基地《みかたきち》まで帰《かえ》りついた。このことは堀《ほり》越《こし》の設計《せっけい》した機体《きたい》の性能《せいのう》を世界《せかい》に知《し》らしめることになった。そして零戦《ぜろせん》が完成《かんせい》する。しかし、最強《さいきょう》の戦闘機《せんとうき》は最後《さいご》に若者《わかもの》の棺桶《かんおけ》になっていった。

©小澤さとる

黄色《きいろ》い零戦《ぜろせん》

◀忙《いそが》しい堀越《ほりこし》が家庭《かてい》でのつかの間《ま》の時間《じかん》に家族《かぞく》に飛行機《ひこうき》を描《えが》いて見《み》せる。

堀越二郎《ほりこしじろう》とは？

1903年《ねん》6月《がつ》22日生《にちう》まれ。1982年《ねん》1月《がつ》11日没《にちぼつ》。航空技術者《こうくうぎじゅつしゃ》で東京大学工学博士《とうきょうだいがくこうがくはかせ》。零戦《ぜろせん》の設計者《せっけいしゃ》です。零戦《ぜろせん》の開発後《かいはつご》は技術部《ぎじゅつぶ》第二設計課長《だいにせっけいかちょう》になり、「雷電《らいでん》」、「烈風《れっぷう》」という戦闘機《せんとうき》の設計《せっけい》にたずさわりました。

戦後《せんご》はYS-11の設計《せっけい》に参加《さんか》。その後《ご》、中《なか》日本重工業《にほんじゅうこうぎょう》で勤務《きんむ》します。さらに東京大学《とうきょうだいがく》宇宙航空研究所講師《うちゅうこうくうけんきゅうじょこうし》も務《つと》めます。2013年《ねん》には、堀越二郎《ほりこしじろう》の人生《じんせい》をテーマにした劇場《げきじょう》アニメ『風立《かぜた》ちぬ』（スタジオジブリ）が製《せい》作《さく》され話題《わだい》になりました。

常《つね》に純粋《じゅんすい》でひたむきな空《そら》に憧《あこが》れた男《おとこ》。

彼《かれ》のまわりにいる技師《ぎし》たちはみんな彼《かれ》のひたむきで純粋《じゅんすい》な開発《かいはつ》に向《む》けての熱意《ねつい》にひかれ、新《あたら》しい機体《きたい》の製作《せいさく》に力《ちから》を貸《か》してくれました。彼《かれ》らの功績《こうせき》をたたえる堀越《ほりこし》は、自《じ》分《ぶん》はただオーケストラのタクトをふっただけだと語《かた》っています。

昭和《しょうわ》10年《ねん》2月《がつ》、九式単葉戦闘機《きゅうしきたんようせんとうき》のテスト飛行《ひこう》が成功《せいこう》します。ある日《ひ》、彼《かれ》は自宅《じたく》で妻《つま》と子《こ》どもに流線型《りゅうせんけい》の機体《きたい》のスケッチを見《み》せます。それが零戦《ぜろせん》の完成《かんせい》イメージだったのかはわかりませんが、後日《ごじつ》妻《つま》の須磨子《すまこ》は「あとにも先《さき》にもそれ一《いち》度《ど》だけでした　流線型《りゅうせんけい》の機体《きたい》をスケッチして見《み》せてくれたのです」と語《かた》っています。家族《かぞく》を愛《あい》した堀越《ほりこし》が伝《つた》えたかった自分《じぶん》の仕事《しごと》の断片《だんぺん》が、そのスケッチにこめられていたのではないでしょうか。

海軍《かいぐん》からの新《あたら》しい要求《ようきゅう》に対《たい》し堀越《ほりこし》が出《だ》した答《こた》えは、昭和《しょうわ》14年正月《ねんしょうがつ》に完成《かんせい》した黄色《きいろ》くぬられた零戦《ぜろせん》のテスト機《き》でした。昭和《しょうわ》15年《ねん》には零戦《ぜろせん》は空《そら》を飛《と》びます。そして昭和《しょうわ》16年《ねん》12月《がつ》8日《か》、零戦《ぜろせん》は太平洋戦争《たいへいようせんそう》に突入《とつにゅう》して行《い》くのです。

その後《ご》、零戦《ぜろせん》は戦争《せんそう》で大活躍《だいかつやく》します。堀《ほり》越《こし》は複雑《ふくざつ》な気持《きも》ちで戦況《せんきょう》を見守《みまも》っているのでした。そして大戦末期《たいせんまっき》に、零戦《ぜろせん》は特攻《とっこう》に使《つか》われていくことになります。空襲《くうしゅう》がはげしい東京《とうきょう》から疎開《そかい》した松本《まつもと》の地《ち》でそれを聞《き》きながら、空《そら》を見上《みあ》げる堀越《ほりこし》の心情《しんじょう》は作中《さくちゅう》には記《しる》されていません。物語《ものがたり》は零戦《ぜろせん》に搭乗《とうじょう》し特攻《とっこう》に向《む》かう新兵《しんぺい》の家族《かぞく》に向《む》けた悲《かな》しみに満《み》ちた別《わか》れの手紙《てがみ》でまとめられています。

著者《ちょしゃ》プロフィール

小澤《おざわ》さとる

1936年《ねん》埼玉県川口市《さいたまけんかわぐちし》生《う》まれ。海洋少年漫画《かいようしょうねんまんが》の先駆的《さきがけてき》存在《そんざい》。1970年代《ねんだい》今井科学《いまいかがく》のプラモデル・ロボダッチのキャラクターデザイン、原作《げんさく》を手《て》がける。代表作《だいひょうさく》『少《しょう》年《ねん》タイフーン』『冒険日本号《ぼうけんにほんごう》』『エムエム三太《さんた》』『サブマリン707』『青《あお》の6号《ごう》』『黄色《きいろ》い零戦《ぜろせん》』ほか多数《たすう》。

予科練《よかれん》時代《じだい》の友人《ゆうじん》が
特攻隊《とっこうたい》に志願《しがん》！

主人公《しゅじんこう》の葛西安男《かさいやすお》は、親兄弟《おやきょうだい》たちを見《み》かえすため戦闘機《せんとうき》「零戦《ぜろせん》」の飛行士《ひこうし》を目指《めざ》して、海軍《かいぐん》に志願《しがん》します。「海軍飛行予科練習生《かいぐんひこうよかれんしゅうせい》（予科練《よかれん》）」に入《はい》った安男《やすお》は、訓練《くんれん》で「殺《ころ》すのも死《し》ぬのもいやだ」と言《い》う、落《お》ちこぼれ寺岡《てらおか》と出会《であ》い友情《ゆうじょう》を深《ふか》めます。やがて卒業《そつぎょう》して飛行士《ひこうし》となった安男《やすお》は、寺岡《てらおか》やほかの訓練性《くんれんせい》と別《わか》れて基地《きち》に配属《はいぞく》されます。

戦況《せんきょう》が悪化《あっか》し、食料事情《しょくりょうじじょう》も悪化《あっか》し、仲間《なかま》たちがたおれていく中《なか》、彼《かれ》の小隊《しょうたい》は各地《かくち》を転戦《てんせん》しつつ、かろうじて生《い》きのびていきました。第二次世界大戦末期《だいにじせかいたいせんまっき》、爆弾《ばくだん》をつんだ機体《きたい》での体当《たいあ》たりによる自殺攻撃《じさつこうげき》、特攻《とっこう》を行《おこな》う「神風特別攻撃隊《かみかぜとくべつこうげきたい》」が組織《そしき》されたころ、安男《やすお》は、その基地《きち》のひとつ、フィリピンのルソン島《とう》に配属《はいぞく》されていました。そして、彼《かれ》は「特攻隊《とっこうたい》」の志願者《しがんしゃ》リストの中《なか》に、寺岡《てらおか》の名前《なまえ》を見《み》つけ、臆病《おくびょう》で優《やさ》しい性格《せいかく》の彼《かれ》が、なぜ志願《しがん》したのかと問《と》います。

「もうこれで…僕《ぼく》の戦争《せんそう》は終《お》わるんだよね もう二度《にど》と苦《くる》しい思《おも》いをしなくてすむんだから」

作品紹介《さくひんしょうかい》

『零戦少年《ぜろせんしょうねん》』
著《ちょ》：葛西《かさい》りいち　発行《はっこう》：秋田書店《あきたしょてん》（ヤングチャンピオン・コミックス）

かつて零戦操縦士《ぜろせんそうじゅうし》だった、著者《ちょしゃ》の祖父《そふ》の体験談《たいけんだん》をもとに描《か》きあげたエッセイ漫画《まんが》。

農家《のうか》の11人兄弟《にんきょうだい》の末《すえ》っ子《こ》として生《う》まれた主人公《しゅじんこう》の葛西安男《かさいやすお》は、家《いえ》を出《で》て「成《な》り上《あ》がる」ことを子《こ》ども心《ごころ》にちかう。戦争《せんそう》ムードが高《たか》まり、安男《やすお》は「女《おんな》にもてたい」「一目置《いちもくお》かれる男《おとこ》になりたい」「恩給《おんきゅう》をもらいたい」などの不純《ふじゅん》な動機《どうき》から、花形職業《はながたしょくぎょう》であった戦闘機《せんとうき》の操縦士《そうじゅうし》になるべく海軍《かいぐん》に志願《しがん》し、「海軍飛行《かいぐんひこう》予科練習生《よかれんしゅうせい》（予科練《よかれん》）」に入学《にゅうがく》する。理不尽《りふじん》にきびしい訓練《くんれん》も受《う》けるが、そんな中《なか》でも友人《ゆうじん》もでき、楽《たの》しいこともあったが、やがて戦局《せんきょく》がきびしくなり、死《し》の影《かげ》がせまるようになる。

©葛西りいち

著者《ちょしゃ》プロフィール

葛西《かさい》りいち
1983年《ねん》生《う》まれ。千葉県出身《ちばけんしゅっしん》。2008年《ねん》「本当《ほんとう》にあったゆかいな話《はなし》 増刊《ぞうかん》」掲載《けいさい》の『夢見《ゆめみ》ぬお年頃《としごろ》』によりデビュー。ストーリー漫画《まんが》のほか、エッセイ漫画《まんが》を得意《とくい》とする。代表作《だいひょうさく》に『あしめし』『ヨメキン「ヨメとド近眼《きんがん》」』『リーチとツモ～貧乏漫画家《びんぼうまんがか》のチワワ日記《にっき》～』などがある。

避《さ》けがたい"死《し》"に意味《いみ》を見出《みいだ》すあやまち。

別人《べつじん》のようにやせこけた寺岡《てらおか》は、国《くに》が終《お》わってしまうかもしれないのに、臆病《おくびょう》なことを言《い》っていられないと言《い》います。寺岡《てらおか》は、攻撃《こうげき》で補給線《ほきゅうせん》がたたれ、飢《う》えに苦《くる》しんだトラック島《とう》の基地《きち》にいた兵士《へいし》の生《い》き残《のこ》りでした。彼《かれ》は、自分《じぶん》の部隊《ぶたい》の仲間《なかま》たちは、雑草《ざっそう》を食《た》べ中毒《ちゅうどく》をおこし、彼《かれ》を残《のこ》して全員《ぜんいん》犬死《いぬじ》にしたのでした。だから「僕《ぼく》は軍人《ぐんじん》として死《し》ぬ事《こと》を決《き》めたんだ」と決意《けつい》を語《かた》ります。

しかし数日後《すうじつご》、寺岡《てらおか》は特攻《とっこう》に飛《と》び立《た》つ間際《まぎわ》、安男《やすお》につげます。それは聞《き》かされた決意《けつい》とは裏腹《うらはら》の、かつての臆病《おくびょう》な性格《せいかく》をにじませた、死《し》に安《やす》らぎを求《もと》めるようなこの言葉《ことば》でした。

その後《ご》、安男《やすお》の小隊《しょうたい》にも特攻《とっこう》の命令《めいれい》が下《くだ》され、さらに仲間《なかま》は散《ち》っていきます。一度《いちど》はまぬがれた出撃《しゅつげき》でしたが、特攻《とっこう》の機会《きかい》が再《ふたた》びあたえられ、安男《やすお》は仲間《なかま》たちとともに、特攻隊《とっこうたい》として出陣《しゅつじん》します。しかし、決死《けっし》の出撃《しゅつげき》をくりかえすも、敵《てき》を見《み》つけられず、燃料《ねんりょう》もとぼしく死《し》ねずに終戦《しゅうせん》をむかえます。戦後《せんご》、安男《やすお》は生《い》き残《のこ》ったことを恥《はじ》たのか、天寿《てんじゅ》を全《まっと》うする当日《とうじつ》まで、黙々《もくもく》と死《し》ぬほど働《はたら》くのでした。

特攻隊《とっこうたい》のような倫理的《りんりてき》にはゆるされない自殺攻撃《じさつこうげき》も、集団《しゅうだん》の方針《ほうしん》だと決《き》められれば、個人《こじん》がさからうことはほとんどできません。このように死《し》が強制《きょうせい》されたとき、人《ひと》はその死《し》に強引《ごういん》にでも意味《いみ》を見出《みいだ》し、心《こころ》のバランスを保《たも》とうとします。これもまた、戦争《せんそう》の罪《つみ》なのです。そして戦後《せんご》生《い》き残《のこ》った兵士《へいし》は、理由《りゆう》なき罪悪感《ざいあくかん》に苦《くる》しみ続《つづ》けるのです。

個人《こじん》の心《こころ》と命《いのち》をないがしろにする戦争《せんそう》は未来永劫《みらいえいごう》絶対《ぜったい》にさけなければならないのです。

零戦《ぜろせん》とは？

零戦《ぜろせん》とは、第二次世界大戦時代《だいにじせかいたいせんじだい》の日本海軍《にほんかいぐん》の艦上戦闘機《かんじょうせんとうき》、「零式艦上戦闘機《れいしきかんじょうせんとうき》」の略称《りゃくしょう》です。正《ただ》しくは「れいせん」と読《よ》みますが、俗称《ぞくしょう》としては「ぜろせん」とも呼《よ》ばれました。

零戦《ぜろせん》は、徹底《てってい》した軽量化《けいりょうか》と新技術《しんぎじゅつ》の導入《どうにゅう》により高《たか》い運動性能《うんどうせいのう》と長《なが》い航続距離《こうぞくきょり》とを両立《りょうりつ》させた機体《きたい》で、１万機以上《まんきいじょう》が生産《せいさん》されました。開戦当初《かいせんとうしょ》は、搭乗員《とうじょういん》の高《たか》い熟練度《じゅくれんど》もあって、他国《たこく》の戦闘機《せんとうき》を圧倒《あっとう》する性能《せいのう》をほこりましたが、搭乗員《とうじょういん》の人命《じんめい》が軽視《けいし》された設計《せっけい》で装甲《そうこう》が薄《うす》く、時間《じかん》とともに熟練飛行士《じゅくれんひこうし》を失《うしな》っていきました。

また、後継機《こうけいき》やエンジン性能《せいのう》などの開発《かいはつ》がおくれる一方《いっぽう》、他国《たこく》の戦闘機《せんとうき》の性能《せいのう》と戦術《せんじゅつ》は向上《こうじょう》、優勢《ゆうせい》を失《うしな》っていったのです。

もう これで… 僕の戦争は 終わるんだよね
もう二度と 苦しい思いを しなくてすむん だから

◀飢《う》えて草《くさ》を食《た》べ仲間《なかま》が全員死《ぜんいんし》んだ寺岡《てらおか》は、犬死《いぬじ》にを避《さ》けるために"特攻《とっこう》"を選《えら》ぶ。

「きさま虫《むし》けらのような命《いのち》がおしくてほざくのか」「もっと命《いのち》を大《だい》事《じ》にしたらどうですか」

生《い》き残《のこ》った軍医《ぐんい》が参謀本部《さんぼうほんぶ》に助命嘆願《じょめいたんがん》するが通《とお》らなかった。

1941年《ねん》12月《がつ》8日《か》、日本《にほん》は太平洋《たいへいよう》戦争《せんそう》に突入《とつにゅう》します。日本《にほん》が戦争《せんそう》をした相手国《あいてこく》はアメリカを中心《ちゅうしん》とした連合軍《れんごうぐん》でイギリス、中国《ちゅうごく》とも戦争《せんそう》になりました。

この作品《さくひん》は作者《さくしゃ》の水木《みずき》しげるが実際《じっさい》に戦争《せんそう》に行《い》き、戦《たたか》った戦場《せんじょう》の出来事《できごと》を克明《こくめい》に90％真実《しんじつ》そのままに描《か》いていると本人《ほんにん》が言《い》っています。

水木《みずき》しげるはこの作品《さくひん》の中《なか》で、日本《にほん》が戦《せん》争《そう》に負《ま》けたのがくやしいとか、日本《にほん》に勝《か》ったアメリカがにくい、日本人《にほんじん》を殺《ころ》した敵《てき》がにくいとかそんなことはひと言《こと》も書《か》いていません。ただ克明《こくめい》に戦場《せんじょう》での日本軍《にほんぐん》のく

◀玉砕命令《ぎょくさいめいれい》に反対《はんたい》する軍医《ぐんい》と軍本部《ぐんほんぶ》の参謀《さんぼう》。

武良茂《むらしげる》（水木《みずき》しげるの本名《ほんみょう》）が体験《たいけん》した ニューブリテン島《とう》バイエンの玉砕命令《ぎょくさいめいれい》の悲劇《ひげき》

終戦間近《しゅうせんまじか》の1945年新春《ねんしんしゅん》、日本軍《にほんぐん》は南太平洋《みなみたいへいよう》ニューブリテン島《とう》のバイエンを占領《せんりょう》しました。米軍《べいぐん》と戦《たたか》うために構成《こうせい》された500名《めい》のバイエン支隊《したい》は、後方《こうほう》のラバウルの盾《たて》となるために、玉砕《ぎょくさい》※することを命令《めいれい》されました。

玉砕《ぎょくさい》して勝《か》てるわけでもなく、ゲリラ戦《せん》で戦《たたか》うほうが敵《てき》の進軍《しんぐん》を止《と》めるには有効《ゆうこう》だという主張《しゅちょう》は参謀本部《さんぼうほんぶ》には通《とお》りませんでした。兵《へい》が死《し》んでこそ士気《しき》があがるという奇妙《きみょう》な思想《しそう》が日本軍《にほんぐん》に蔓延《まんえん》していたのです。

玉砕《ぎょくさい》で生《い》き残《のこ》り撤退《てったい》した兵士《へいし》は、驚《おどろ》くべきことに敵前逃亡罪《てきぜんとうぼうざい》と断《だん》ぜられました。多《おお》くの徴兵《ちょうへい》された民間人《みんかんじん》は職業軍人《しょくぎょうぐんじん》たちの盾《たて》となって突撃《とつげき》させられていきました。水木《みずき》しげるはその悲惨《ひさん》な戦争《せんそう》の現実《げんじつ》を告発《こくはつ》し後世《こうせい》に残《の》しました。戦争《せんそう》の悲劇《ひげき》を忘《わす》れてはならないのです。

※玉砕《ぎょくさい》：降伏《こうふく》せずに全滅《ぜんめつ》するまで戦《たたか》うこと。

総員玉砕《そういんぎょくさい》せよ！

る様子《ようす》を描《えが》いているのです。戦争《せんそう》がおこった理由《りゆう》、勝《か》ち負《ま》けもこの作品《さくひん》の舞台《ぶたい》、戦争《せんそう》の前線《ぜんせん》では問題《もんだい》ではないのです。

上官《じょうかん》の命令《めいれい》にしたがって日本《にほん》の兵士《へいし》たちが死《し》んでいかなければいけなかったということ、そして日本軍《にほんぐん》がメンツを守《まも》るために自軍《じぐん》の兵《へい》に死《し》を強要《きょうよう》していたということを告発《こくはつ》しているのです。

客観的《きゃっかんてき》に見《み》ればニューブリテン島《とう》のバイエンは総員《そういん》に玉砕命令《ぎょくさいめいれい》を出《だ》してまで、守《まも》る価値《かち》のない場所《ばしょ》でした。あとになってとなりの地区《ちく》を守《まも》っていた連隊長《れんたいちょう》の「あの場所《ばしょ》をなぜそうまでして守《まも》らねばならなかったのか」という言葉《ことば》が水木《みずき》しげるの心《こころ》に突《つ》き刺《さ》さっていたのでした。

日本軍《にほんぐん》の上官《じょうかん》のだれかひとりが悪者《わるもの》なのではなく、戦争《せんそう》が人間《にんげん》をみんな悪魔《あくま》に変《か》えていくのだと水木《みずき》しげるははっきりと言《い》っています。敵《てき》も味方《みかた》も、上官《じょうかん》もです。

戦争《せんそう》をすることで、悪魔《あくま》が生《う》まれ悲劇《ひげき》が生《う》まれる。だから戦争《せんそう》をしても何《なに》もいいことはない。水木《みずき》しげるの戦争《せんそう》に対《たい》する強烈《きょうれつ》な怒《いか》り、憎悪《ぞうお》がこの長編漫画作品《ちょうへんまんがさくひん》からあふれています。その強《つよ》い主張《しゅちょう》は世界《せかい》に共感《きょうかん》を呼《よ》び、この作品《さくひん》は、2009年《ねん》にフランスで第《だい》36回《かい》アングレーム国際《こくさい》マンガフェスティバル遺産賞《いさんしょう》を受賞《じゅしょう》。2012年《ねん》にはアメリカでアイズナー賞《しょう》国際賞《こくさいしょう》アジア部門《ぶもん》などを受賞《じゅしょう》しています。作者《さくしゃ》ももっとも思《おも》い入《い》れのある作品《さくひん》だと話《はな》しています。

◀理不尽《りふじん》な玉砕命令《ぎょくさいめいれい》※のもと、敵《てき》の標的《ひょうてき》にされ無残《むざん》に死《し》んでいく兵士《へいし》の最後《さいご》の歌《うた》。

※玉砕命令《ぎょくさいめいれい》：敵《てき》に突撃《とつげき》し、死《し》ねという命令《めいれい》。

作品《さくひん》紹介《しょうかい》

総員玉砕《そういんぎょくさい》せよ！

著《ちょ》：水木《みずき》しげる　発行《はっこう》：講談社《こうだんしゃ》（講談社文庫《こうだんしゃぶんこ》）

1970年《ねん》に『敗走記《はいそうき》』が発表《はっぴょう》され、それから3年《ねん》して本作《ほんさく》は1973年《ねん》8月《がつ》「劇画現代《げきがげんだい》」に読《よ》み切《き》り中編《ちゅうへん》として掲載《けいさい》、同年《どうねん》8月《がつ》に講談社《こうだんしゃ》コミックスより描《か》きおろし長編《ちょうへん》として単行本化《たんこうぼんか》された。

2007年《ねん》には『鬼太郎《きたろう》が見《み》た玉砕《ぎょくさい》―水木《みずき》しげるの戦争《せんそう》―』のタイトルでテレビドラマ化《か》。世界《せかい》で評価《ひょうか》され、各賞《かくしょう》を受賞《じゅしょう》した。

©水木プロ

著者《ちょしゃ》プロフィール

水木《みずき》しげる

1922年《ねん》生《う》まれ。鳥取県境港市《とっとりけんさかいみなとし》で幼少期《ようしょうき》を過《す》ごす。紙芝居作家時代《かみしばいさっかじだい》は兵庫県神戸《ひょうごけんこうべ》在住《ざいじゅう》、のちに東京都調布市《とうきょうとちょうふし》に移転《いてん》。代表作《だいひょうさく》『総員玉砕《そういんぎょくさい》せよ！』『ゲゲゲの鬼太郎《きたろう》』『悪魔《あくま》くん』『河童《かっぱ》の三平《さんぺい》』『決定版《けっていばん》 日本妖怪大全《にほんようかいたいぜん》』ほか多数《たすう》。2015年《ねん》没《ぼつ》。

「アメリカではない 天《てん》に向《む》かって振《ふ》る旗《はた》だ」

決死《けっし》に戦《たたか》い戦闘能力《せんとうのうりょく》をなくした重傷者《じゅうしょうしゃ》までも殺《ころ》す権利《けんり》は上官《じょうかん》にはない。

1945年《ねん》（昭和《しょうわ》20年《ねん》）太平洋戦争《たいへいようせんそう》の激戦地《げきせんち》、硫黄島《いおうとう》で日本軍《にほんぐん》とアメリカ軍《ぐん》の死闘《しとう》が繰《く》りかえされました。そこはまさに地獄《じごく》の戦場《せんじょう》だったのです。

アメリカ軍《ぐん》の反撃《はんげき》にそなえ、島全体《しまぜんたい》を要塞化《ようさいか》しようと栗林中将《くりばやしちゅうじょう》は島《しま》のいたるところに地下陣地《ちかじんち》を構築《こうちく》し、それらをつなぐ地下道《ちかどう》を掘《ほ》りぬきました。硫黄島《いおうとう》はその名《な》のとおりどこを掘《ほ》っても硫黄《いおう》くさい海水《かいすい》まじりの湯《ゆ》が噴出《ふんしゅつ》してくる島《しま》でした。そこを日本軍《にほんぐん》は息《いき》をこらえて、掘《ほ》りぬいてアメリカ軍《ぐん》との決戦《けっせん》にそなえました。

島《しま》に押《お》しよせたのは6万《まん》1千《せん》名《めい》のアメリカ軍《ぐん》でした。守《まも》る日本軍《にほんぐん》は2万《まん》2千《せん》名《めい》です。日本軍《にほんぐん》の陣地《じんち》は固《かた》く、いく度《ど》となくアメリ

▲部下《ぶか》を思《おも》い、白旗《しろはた》をふろうとする将校《しょうこう》に部下《ぶか》たちでさえ動揺《どうよう》する。

力軍《ぐん》の攻撃《こうげき》をはねかえしましたが、ついにアメリカ軍《ぐん》は南海岸《みなみかいがん》の一角《いっかく》を占領《せんりょう》します。

その後《ご》も両軍《りょうぐん》多大《ただい》な犠牲《ぎせい》を出《だ》しながら戦闘《せんとう》は続《つづ》きましたが、アメリカ軍《ぐん》の物量《ぶつりょう》の前《まえ》に日本軍《にほんぐん》はついに最後《さいご》の時《とき》をむかえました。弾丸《だんがん》がつき、補給物資《ほきゅうぶっし》として輸送機《ゆそうき》から投《とう》下《か》されたのは竹《たけ》やりの束《たば》でした。そこで、日本兵《にほんへい》43名《めい》の生《い》き残《のこ》りは栗林中将《くりばやしちゅうじょう》とともに最後《さいご》の突撃《とつげき》を敢行《かんこう》します。

降伏《こうふく》することを恥《はじ》と教《おし》えられた日本《にほん》の軍隊《ぐんたい》で、白旗《しろはた》をふることにどれだけの勇気《ゆうき》がいるか。

その突撃《とつげき》の後《のち》、それでも生《い》き残《のこ》った海軍《かいぐん》の負傷兵《ふしょうへい》がひそむ穴《あな》の中《なか》に、戦闘《せんとう》を続《つづ》ける別動隊《べつどうたい》陸軍《りくぐん》の大西中尉《おおにしちゅうい》が現《あらわ》れます。海軍《かいぐん》の負傷兵《ふしょうへい》は、弾《たま》もなく竹《たけ》やりでは戦《たたか》えないと説明《せつめい》しますが大西中尉《おおにしちゅうい》は認《みと》めませんでした。

日本《にほん》の軍人《ぐんじん》は生《い》きて捕虜《ほりょ》になることを、もっとも恥《はじ》と考《かんが》えるよう教育《きょういく》されていました。だから、白旗《しろはた》をふって降伏《こうふく》するなどということはだれも考《かんが》えられなかったのです。

大西中尉《おおにしちゅうい》もそう考《かんが》えました。しかし、生《い》き残《のこ》った海軍将校《かいぐんしょうこう》は負傷兵《ふしょうへい》の部下《ぶか》を島《しま》から逃《に》がす時間《じかん》を稼《かせ》ぐために、ひとり天《てん》に向《む》かって白旗《しろはた》をふり続《つづ》けることにしたのです。

大西中尉《おおにしちゅうい》が将校《しょうこう》をとめようとしましたが、「せっかく生《い》き残《のこ》った重傷者《じゅうしょうしゃ》たちまでみごろしにしてしまうことが果《は》たして指揮官《しきかん》として正《ただ》しいことかね」と、その将校《しょうこう》は旗《はた》をふることをやめません。結局《けっきょく》、彼《かれ》は日本軍《にほんぐん》の兵《へい》により後方《こうほう》から射殺《しゃさつ》されてしまいます。ですが、そのあいだに、6人《にん》の負傷兵《ふしょうへい》が島《しま》から脱出《だっしゅつ》することに成功《せいこう》しました。

ひとり白旗《しろはた》をふり続《つづ》け、部下《ぶか》の命《いのち》を救《すく》った将校《しょうこう》の勇気《ゆうき》ある行動《こうどう》。みなさんはどう思《おも》いますか。

硫黄島《いおうとう》の戦闘《せんとう》とは？

太平洋戦争《たいへいようせんそう》のフィリピン戦《せん》、沖縄戦《おきなわせん》と並《なら》ぶ最大《さいだい》の激戦地《げきせんち》。

日本軍《にほんぐん》は、守備兵力《しゅびへいりょく》2万《まん》2千名《せんめい》の96%《パーセント》が戦死《せんし》し、アメリカ軍《ぐん》はそれを上回《うわまわ》る数《かず》の戦死傷者《せんししょうしゃ》を出《だ》しました。太平洋戦争《たいへいようせんそう》の上陸戦《じょうりくせん》において、アメリカ軍《ぐん》の死傷者数《ししょうしゃすう》が日本軍《にほんぐん》を上回《うわまわ》った数少《かずすく》ない例《れい》とされています。1945年《ねん》2月《がつ》19日《にち》に始《はじ》まったこの戦《たたか》いは、約《やく》2カ月後《げつご》にアメリカ軍《ぐん》の制圧《せいあつ》によって終結《しゅうけつ》しました。栗林中将《くりばやしちゅうじょう》以下《いか》300名《めい》の総攻撃《そうこうげき》は、3月《がつ》26日《にち》に行《おこな》われました。

著者《ちょしゃ》プロフィール

水木《みずき》しげる

1922年生《ねんう》まれ。鳥取県境港市《とっとりけんさかいみなとし》で幼少期《ようしょうき》を過《す》ごす。紙芝居作家時代《かみしばいさっかじだい》は兵庫県神戸《ひょうごけんこうべ》在住《ざいじゅう》、のちに東京都調布市《とうきょうとちょうふし》に移転《いてん》。代表作《だいひょうさく》『総員玉砕《そういんぎょくさい》せよ！』『ゲゲゲの鬼太郎《きたろう》』『悪魔《あくま》くん』『河童《かっぱ》の三平《さんぺい》』『決定版《けっていばん》 日本妖怪大全《にほんようかいたいぜん》』ほか多数《たすう》。2015年没《ねんぼつ》。

作品《さくひん》紹介《しょうかい》

『白《しろ》い旗《はた》』
著《ちょ》：水木《みずき》しげる　発行《はっこう》：講談社《こうだんしゃ》（講談社文庫《こうだんしゃぶんこ》）

1964年《ねん》10月《がつ》の『日《ひ》の丸戦記《まるせんき》』が初出《しょしゅつ》。太平洋戦争《たいへいようせんそう》の最中《さいちゅう》、アメリカ軍《ぐん》に対抗《たいこう》して要塞化《ようさいか》した硫黄島《いおうとう》に立《た》てこもる日本軍《にほんぐん》はついに破《やぶ》れ、武器《ぶき》はつき、重傷兵《じゅうしょうへい》だけが残《のこ》った。その彼《かれ》らを生《い》かそうと白旗《しろはた》をふり続《つづ》ける部下《ぶか》を思《おも》う海軍将校《かいぐんしょう》《こう》の勇気《ゆうき》と、それを受《う》け入《い》れられない日本軍《にほんぐん》のゆがんだ教《おし》えとの戦《たたか》いを描《えが》いた作品《さくひん》。

©水木プロ

「もうけっこうだ、はやくきりはなしてくれ!!」「まだ飛《と》べるぜよ!!」

桜花《おうか》で敵空母《てきくうぼ》を撃沈《げきちん》させる特攻《とっこう》が始《はじ》まった。

太平洋戦争末期《たいへいようせんそうまっき》、日本《にほん》はアメリカ軍《ぐん》との戦《たたか》いで劣勢《れっせい》に追《お》いこまれていきました。それを挽回《ばんかい》するためにきゅうきょ日本軍《にほんぐん》では、数々《かずかず》の決戦兵器《けっせんへいき》が開発《かいはつ》されました。それらはすべて人間《にんげん》が操縦《そうじゅう》して敵空母《てきくうぼ》、戦艦《せんかん》に体当《たいあ》たりして撃沈《げきちん》させることを目標《もくひょう》にした人間爆弾《にんげんばくだん》だったのです。

軍《ぐん》はそれを「特攻《とっこう》」、特別攻撃隊《とくべつこうげきたい》と呼《よ》んで、それに志願《しがん》して国《くに》に命《いのち》をささげ死《し》んだ若者《わかもの》たちを英霊《えいれい》とたたえました。

『音速雷撃隊《おんそくらいげきたい》』はそんなころの太平洋戦争《たいへいようせんそう》のロケット新兵器《しんへいき》「桜花《おうか》」の特攻《とっこう》を描《えが》いた作品《さくひん》です。

桜花《おうか》に搭乗《とうじょう》する野中少尉《のなかしょうい》には恋人《こいびと》がいました。特攻《とっこう》の前日《ぜんじつ》、彼《かれ》は愛《あい》する恋人《こいびと》のかなでる琴《こと》の音《ね》を聞《き》きました。それでも少尉《しょうい》は恋人《こいびと》に会《あ》いに行《い》きませんでした。

そして明日《あす》の出撃《しゅつげき》を前《まえ》に兵士《へいし》たちは、もしも生《い》き続《つづ》けていたらという将来《しょうらい》の夢《ゆめ》を語《かた》りあいました。そして特攻《とっこう》をする自分《じぶん》たちは頭《あたま》がおかしいと話《はな》しました。今《いま》は自分《じぶん》たちだけでなく世界中《せかいじゅう》がくるっていると。少尉《しょうい》は琴《こと》の音《ね》を聞《き》いて寝《ね》ました。特攻出撃《とっこうしゅつげき》のとき、彼《かれ》の胸《むね》には恋人《こいびと》の写真《しゃしん》がだかれていたのです。

桜花《おうか》を敵機動部隊《てききどうぶたい》に運《はこ》ぶのは一式陸上攻撃機《いっしきりくじょうこうげきき》です。そのころの日本《にほん》の戦力《せんりょく》はとても少《すく》なく、特攻《とっこう》をしてもそれが成功《せいこう》する可能性《かのうせい》はかぎりなく低《ひく》かったのです。アメリカ軍《ぐん》は日本軍《にほんぐん》の死《し》を恐《おそ》れない人間爆《にんげんばく》

▶野中少尉《のなかしょうい》の桜花《おうか》を抱《だ》いた一式陸攻《いっしきりくこう》は敵護衛機《てきごえいき》の攻撃《こうげき》で被弾《ひだん》、炎上《えんじょう》する。

弾《だん》の攻撃《こうげき》を、くるっていると言《い》いました。敵《てき》と遭遇《そうぐう》し、敵機動部隊《てききどうぶたい》の攻撃《こうげき》で被弾《ひだん》した一式陸上攻撃機《いっしきりくじょうこうげきき》は、あと少《すこ》ししか飛行《ひこう》することができない状態《じょうたい》でした。

野中少尉《のなかしょうい》は敵機動部隊《てききどうぶたい》が目前《もくぜん》に確認《かくにん》できたので、自分《じぶん》を切《き》りはなして一式陸上攻撃機《いっしきりくじょうこうげきき》にそこから逃《のが》れてほしいとたのみます。「もうけっこうだ、はやくきりはなしてくれ!!」しかし、パイロットはそれに答《こた》えて「まだ飛《と》べるぜよ!!」と言《い》ってのけたのでした。命《いのち》がけでみんなが力《ちから》をあわせたのです。

敵《てき》の目前《もくぜん》できりはなされた桜花《おうか》は、ロケットエンジンに点火《てんか》します。一旦点火《いったんてんか》した桜花《おうか》は音速《おんそく》をこえて敵空母《てきくうぼ》に飛《と》んで行《い》き、それを打《う》ち落《お》とすことはもうできませんでした。

◀野中少尉《のなかしょうい》を乗《の》せた桜花《おうか》は敵空母《てきくうぼ》に突入《とつにゅう》していきます。

桜花《おうか》とは

桜花《おうか》は、太平洋戦争中《たいへいようせんそうちゅう》に軍《ぐん》が開《かい》発《はつ》した特殊滑空機《とくしゅかっくうき》、特攻兵器《とっこうへいき》として実戦《じっせん》に投入《とうにゅう》されました。連《れん》合軍側《ごうぐんがわ》からは自殺攻撃《じさつこうげき》を行《おこな》う者《もの》、「Baka Bomb（ばか爆弾《ばくだん》）」というコードネームで呼《よ》ばれました。

一式陸上攻撃機《いっしきりくじょうこうげきき》に搭載《とうさい》された桜《おう》花《か》はその重量《じゅうりょう》により、一式陸上攻《いっしきりくじょうこう》撃機《げきき》の運動性《うんどうせい》が落《お》ちて撃墜《げきつい》されるケースが多《おお》かったのです。

作品紹介《さくひんしょうかい》

『音速雷撃隊《おんそくらいげきたい》』（『オーロラの牙《きば》』戦場《せんじょう》まんが③収録《しゅうろく》）

著《ちょ》：松本零士《まつもとれいじ》　発行《はっこう》：小学館《しょうがくかん》

『音速雷撃隊《おんそくらいげきたい》』は週刊少年《しゅうかんしょうねん》サンデー不定期連載《ふていきれんさい》の「戦場《せんじょう》まんがシリーズ」第《だい》③巻《かん》1976年《ねん》『オーロラの牙《きば》』に収録《しゅうろく》された作品《さくひん》。戦場《せんじょう》まんがシリーズ第《だい》①巻《かん》は1974年刊行《ねんかんこう》『スタンレーの魔女《まじょ》』。これらの作品群《さくひんぐん》は後年《こうねん》『ザ・コクピット』にまとめられた。第二次世界大戦《だいにじせかいたいせん》を素材《そざい》にした作品《さくひん》が中心《ちゅうしん》。
『音速雷撃隊《おんそくらいげきたい》』は大戦末期《たいせんまっき》の太平洋戦線《たいへいようせんせん》でアメリカ軍《ぐん》の機動部隊《きどうぶたい》に特攻《とっこう》する桜花《おうか》とそれを運《はこ》ぶ一式陸上攻撃《いっしきりくじょうこうげき》機《き》のパイロットの物語《ものがたり》。主人公《しゅじんこう》野中少尉《のなかしょうい》の特攻《とっこう》の日《ひ》、広島《ひろしま》に原爆《げんばく》が投下《とうか》される。

©松本零士

著者《ちょしゃ》プロフィール

松本零士《まつもとれいじ》

1938年《ねん》福岡県《ふくおかけん》生《う》まれ。代表作《だいひょうさく》『宇宙戦艦《うちゅうせんかん》ヤマト』『銀河鉄道《ぎんがてつどう》999』『キャプテンハーロック』『ザ・コクピット』『ガンフロンティア』『光速《こうそく》エスパー』『千年女王《せんねんじょおう》』『男《おとこ》おいどん』『聖凡人伝《せいぼんじんでん》』ほか多数《たすう》。

「無敵皇軍《むてきこうぐん》なんていってたのはどいつだい!! くるならきてみろ赤《あか》トンボ! なんていってたのはどいつだ!! こんなことになるのに、なんで、戦争《せんそう》をおっぱじめた!!」

▲焼《や》け野原《のはら》になった東京《とうきょう》で、航空防衛隊《こうくうぼうえいたい》に家族《かぞく》のことを泣《な》いて訴《うった》える男《おとこ》。

帝都東京《ていとうきょう》にB-29の本格的大空襲《ほんかくてきだいくうしゅう》が始《はじ》まった。

1944年《ねん》11月《がつ》、アメリカ軍《ぐん》の大型爆撃機《おおがたばくげきき》B-29による日本本土空襲《にほんほんどくうしゅう》がはじまりました。日本軍《にほんぐん》は帝都防衛親衛隊《ていとぼうえいしんえいたい》※を編成《へんせい》し東京《とうきょう》を防衛《ぼうえい》しますが、上空《じょうくう》8500〜9500メートルの高高度《こうこうど》から侵入《しんにゅう》してくるB-29と護衛《ごえい》の戦闘機群《せんとうきぐん》に対《たい》して、日本《にほん》の防衛隊《ぼうえいたい》の攻撃《こうげき》はほとんど効果《こうか》がなく、成果《せいか》は無《な》いに等《ひと》しいものでした。

防衛隊《ぼうえいたい》を指揮《しき》する佐渡中尉《さどちゅうい》はB-29の編隊《へんたい》が東京上空《とうきょうじょうくう》に接近中《せっきんちゅう》の報《ほう》を受《う》け、迎撃《げいげき》に当《あ》たります。戦闘中《せんとうちゅう》、胴体《どうたい》に黒帯《くろおび》を描《えが》いた敵《てき》司令機《しれいき》らしき機影《きえい》を発見《はっけん》、上昇《じょうしょう》しその撃破《げきは》を試《こころ》みますが、彼《かれ》はB-29に撃《う》たれ、撃墜《げきつい》されてしまいます。

彼《かれ》が墜落《ついらく》したのは東京《とうきょう》の民家《みんか》の密集地帯《みっしゅうちたい》でした。爆撃終了後《ばくげきしゅうりょうご》、上空《じょうくう》でB-29のパイロットが「ジャップを10万人《まんにん》くらいテンプラにしたようだ!」と言《い》うほど、その日《ひ》の空襲《くうしゅう》の被害《ひがい》ははげしいものでした。

翌日《よくじつ》、佐渡中尉《さどちゅうい》の機体《きたい》が墜落《ついらく》した現場《げんば》に軍曹《ぐんそう》の片山《かたやま》と訪《おとず》れた佐渡《さど》の弟《おとうと》は、墜落地点《ついらくちてん》が住宅地《じゅうたくち》でそこには民家《みんか》があり、佐渡機《さどき》の墜落《ついらく》で家族全員《かぞくぜんいん》を失《うしな》った男《おとこ》から、激《はげ》しい怒《いか》りをぶつけられます。「無敵皇軍《むてきこうぐん》なんていってたのはどいつだい!! くるならきてみろ赤《あか》トンボ! なんていってたのはどいつだ!! こんなことになるのに、なんで、戦争《せんそう》をおっぱじめた!!」

まわりじゅう焼《や》け野原《のはら》になった東京《とうきょう》で、何《なに》もかも失《うしな》い、泣《な》きじゃくる男《おとこ》からはげしくせめたてられた佐渡《さど》と片山軍曹《かたやまぐんそう》は、言葉《ことば》

※帝都防衛親衛隊《ていとぼうえいしんえいたい》：東京《とうきょう》をアメリカ軍《ぐん》の爆撃《ばくげき》から守《まも》るために作《つく》られた日本《にほん》の軍隊《ぐんたい》。

を失《うしな》います。彼《かれ》らも男《おとこ》と同《おな》じ思《おも》いだったのでしょう。作者《さくしゃ》の強《つよ》い怒《いか》りが感《かん》じられます。

兄《あに》を殺《ころ》したB-29に強《つよ》い憎悪《ぞうお》をいだいた弟《おとうと》。

佐渡《さど》の弟《おとうと》は、兄《あに》を墜落《ついらく》させた胴体《どうたい》に黒帯《くろおび》を描《えが》いたB-29に強《つよ》い憎悪《ぞうお》と復讐心《ふくしゅうしん》を燃《も》やします。補充要員《ほじゅうよういん》として配属《はいぞく》になった弟《おとうと》はくりかえされるB-29の襲来《しゅうらい》に片山軍曹《かたやまぐんそう》と出撃《しゅつげき》します。

片山機《かたやまき》が黒帯《くろおび》の指令機《しれいき》を発見《はっけん》、佐渡《さど》にそれを伝《つた》えます。その直後《ちょくご》、片山機《かたやまき》は撃墜《げきつい》されてしまいます。佐渡《さど》は兄《あに》のように撃墜《げきつい》されないように、機体《きたい》を夜《よる》の闇《やみ》にまぎれさせ、そっとB-29に接近《せっきん》していきます。そのため、敵機《てっき》は佐渡機《さどき》の発見《はっけん》がおくれます。

敵《てき》が、戦闘機群《せんとうきぐん》の中《なか》に日本機《にほんき》が混《ま》じっていることに気《き》がついたとき、佐渡《さど》の乗《の》る鍾馗《しょうき》は一気《いっき》に兄《あに》を殺《ころ》した黒帯《くろおび》のB-29に向《む》かって突《つ》っこんでいきます。佐渡《さど》はプロペラでB-29の胴体《どうたい》をねじ切《き》り黒帯《くろおび》にからみつきました。B-29は飛行《ひこう》バランスを失《うしな》い編隊《へんたい》からはずれ太平洋《たいへいよう》のどこかに落下《らっか》して行《い》きました。佐渡《さど》は撃墜機《げきついき》を東京《とうきょう》に墜落《ついらく》させ、さらに民間人《みんかんじん》を犠牲《ぎせい》にまきぞえにすることを防《ふせ》いだのでした。

最後《さいご》に佐渡《さど》は言《い》います。「おじさん、ぼくは家《いえ》の上《うえ》に落《お》ちないよ」どんなに不利《ふり》な状況《じょうきょう》でも、投《な》げ出《だ》さず少《すこ》しでも被害《ひがい》を食《く》いとめ、人命《じんめい》を救《すく》おうとする佐渡《さど》の行動《こうどう》は生《い》きる力《ちから》を教《おし》えてくれます。

東京大空襲《とうきょうだいくうしゅう》

アメリカの大型爆撃機《おおがたばくげきき》B-29は、人口《じんこう》が密集《みっしゅう》する下町《したまち》を標的《ひょうてき》とした無差別《むさべつ》爆撃《ばくげき》によって多《おお》くの民間《みんかん》人《じん》を焼《や》き殺《ころ》しました。これは史上空前《しじょうくうぜん》の大虐殺《だいぎゃくさつ》と言《い》われています。戦争《せんそう》は軍隊《ぐんたい》、軍需工場《ぐんじゅこうじょう》などに攻撃《こうげき》をおこない戦闘力《せんとうりょく》をうばうことを目的《もくてき》とします。首都東京《しゅとこうきょう》に多《おお》くの民間人《みんかんじん》が居住《きょじゅう》していることを周知《しゅうち》の上《うえ》の大空襲《だいくうしゅう》でした。

アメリカの作戦名《さくせんめい》は「ミーティングハウス2号作戦《ごうさくせん》」。1945年《ねん》3月《がつ》10日《か》の東京大空襲《とうきょうだいくうしゅう》では、死者《ししゃ》10万人《まんにん》以上《いじょう》、罹災者《りさいしゃ》は100万人《まんにん》をこえ最大《さいだい》の被害《ひがい》を記録《きろく》しました。

アメリカ軍《ぐん》は関東大震災《かんとうだいしんさい》等《など》を空襲前《くうしゅうまえ》に徹底的《てっていてき》に検証《けんしょう》し、木造住宅《もくぞうじゅうたく》の密集《みっしゅう》する下町《したまち》が火災被害《かさいひがい》に効果的《こうかてき》だと発見《はっけん》、空襲時《くうしゅうじ》の風向《かざむ》きも考慮《こうりょ》に入《い》れ多大《ただい》な死傷者《ししょうしゃ》を出《だ》しました。

作品紹介《さくひんしょうかい》

『成層圏戦闘機《せいそうけんせんとうき》』（『スタンレーの魔女《まじょ》』戦場《せんじょう》まんが①収録《しゅうろく》）

著《ちょ》：松本零士《まつもとれいじ》　発行《はっこう》：小学館《しょうがくかん》

戦場《せんじょう》まんがシリーズ「週刊少年《しゅうかんしょうねん》サンデー」1973年《ねん》34号《ごう》に掲載《けいさい》されたサンデー掲載第《けいさいだい》4作《さく》。太平洋戦争末期《たいへいようせんそうまっき》、帝都東京《ていとうきょう》に襲来《しゅうらい》するアメリカ軍《ぐん》のB-29に対《たい》し帝都防衛防空戦闘隊《ていとぼうえいぼうくうせんとうたい》にいる佐渡中尉《さどしゅうい》は、B-29、P-51に撃墜《げきつい》され東京《とうきょう》に墜落《ついらく》し命《いのち》を失《うしな》った。それと同時《どうじ》に民間人《みんかんじん》をまきぞえにしてしまうのだった。

兄《あに》を殺《ころ》したB-29に復讐心《ふくしゅうしん》を燃《も》やす弟《おとうと》は、次《つぎ》の戦闘《せんとう》で兄《あに》の敵《てき》を討《う》つと同時《どうじ》にB-29の墜落地点《げきついちてん》を東京《とうきょう》からはなすよう執念《しゅうねん》の攻撃《こうげき》をかける。東京大空襲《とうきょうだいくうしゅう》をテーマにしたフィクション作品《さくひん》。

©松本零士

著者《ちょしゃ》プロフィール

松本零士《まつもとれいじ》

1938年《ねん》福岡県《ふくおかけん》生《う》まれ。代表作《だいひょうさく》『宇宙戦艦《うちゅうせんかん》ヤマト』『銀河鉄道《ぎんがてつどう》999』『キャプテンハーロック』『ザ・コクピット』『ガンフロンティア』『光速《こうそく》エスパー』『千年女王《せんねんじょおう》』『男《おとこ》おいどん』『聖凡人伝《せいぼんじんでん》』ほか多数《たすう》。

「富子《とみこ》の命《いのち》は自分《じぶん》だけのためにあるんじゃない 富子《とみこ》を生《う》んでくれたお父《とう》さんやお母《かあ》さんのものでもあるんだ」

「焦《あせ》らず、一人《ひとり》一人《ひとり》が判断《はんだん》して行動《こうどう》をとりなさい」

1941年《ねん》12月《がつ》6日《か》に始《はじ》まった太平洋戦争《たいへいようせんそう》は3年目《ねんめ》に入《はい》っていました。主人公《しゅじんこう》の富子《とみこ》たちが住《す》む沖縄《おきなわ》では、差《さ》しせまってくる戦争《せんそう》の緊張感《きんちょうかん》は強《つよ》くはありませんでした。

7歳《さい》の富子《とみこ》は父《ちち》に育《そだ》てられました。2つ年上《としうえ》の兄《あに》の直裕《ちょくゆう》、12歳《さい》の姉《あね》の初子《はつこ》、16歳《さい》の姉《あね》のヨシ子《こ》がいっしょに住《す》んでいました。

1945年《ねん》4月《がつ》1日《にち》、沖縄本島西南部《おきなわほんとうせいなんぶ》の海岸《かいがん》にアメリカ軍《ぐん》の機動部隊《きどうぶたい》が集結《しゅうけつ》し、空襲《くうしゅう》をはじめました。5月《がつ》に入《はい》ると富子《とみこ》たちの家《いえ》の近《ちか》くにも爆弾《ばくだん》が落《お》とされ砲撃《ほうげき》がくりかえされました。父《ちち》は軍《ぐん》の通信隊《つうしんたい》に食料《しょくりょう》を運《はこ》ぶ仕事《しごと》をしていましたが、攻撃《こうげき》の激《はげ》しくなった日《ひ》、とうとう帰《かえ》ってきませんでした。

父《ちち》の帰《かえ》りを待《ま》って3日後《かご》、富子《とみこ》たち兄弟《きょうだい》はまさかのことがおこったときの父《ちち》からの言《い》いつけどおりに、姉《あね》のヨシ子《こ》の言《い》うことを聞《き》いて南《みなみ》に避難《ひなん》をはじめました。

しかしすぐに食料《しょくりょう》は底《そこ》をついてしまい、水《みず》もほとんど飲《の》むことができませんでした。爆風《ばくふう》で意識《いしき》をうしなったり、傷《きず》ついた兵隊《へいたい》さんや死体《したい》をさけたりしながら、歩《ある》きつづけました。

爆撃《ばくげき》で焼《や》け落《お》ちた原野《げんや》をぬけ、海《うみ》に出《で》た日《ひ》、富子《とみこ》は近《ちか》くに、ほかにも避難民《ひなんみん》がいる

作品《さくひん》紹介《しょうかい》

『白旗《しろはた》の少女《しょうじょ》　戦争編《せんそうへん》』

漫画《まんが》：みやうち沙矢《さや》　原作《げんさく》：比嘉富子《ひがとみこ》　発行《はっこう》：講談社《こうだんしゃ》

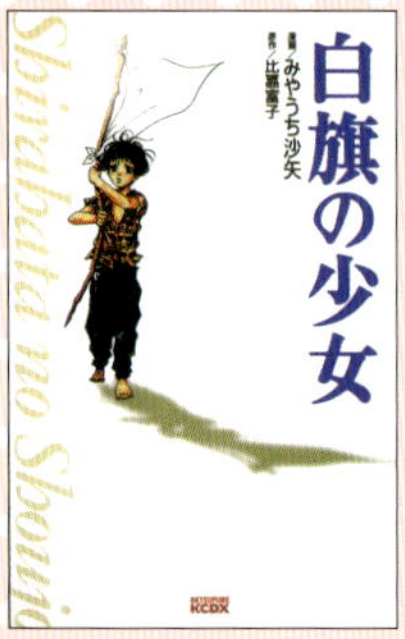

沖縄《おきなわ》で戦争《せんそう》があったとき、白旗《しろはた》をかかげてアメリカ軍《ぐん》に投降《とうこう》した少女《しょうじょ》、比嘉富子《ひがとみこ》が書《か》いた実話手記《じつわしゅき》を原作《げんさく》とした漫画作品《まんがさくひん》。白旗《しろはた》をかかげてアメリカ軍《ぐん》に投降《とうこう》していく少女《しょうじょ》の姿《すがた》は、戦後沖縄戦《せんごおきなわせん》を代表《だいひょう》する報道写真《ほうどうしゃしん》として世界中《せかいじゅう》で有名《ゆうめい》になった。富子《とみこ》は戦後写真集《せんごしゃしんしゅう》の出版《しゅっぱん》で少女《しょうじょ》は自分《じぶん》だと気《き》づいていたが、名乗《なの》ることはしなかった。しかし時間《じかん》が経過《けいか》してまちがった報道《ほうどう》も流《なが》れるようになり、自分《じぶん》の手《て》で当時《とうじ》の真実《しんじつ》を世《よ》に伝《つた》えようと決心《けっしん》。1989年《ねん》に講談社《こうだんしゃ》から小説版《しょうせつばん》『白《しろ》旗《はた》の少女《しょうじょ》』出版《しゅっぱん》され、2009年《ねん》9月《がつ》30日《にち》には『テレビ東京開局《とうきょうかいきょく》45周《しゅう》年記念《ねんきねん》ドラマスペシャル・白旗《しろはた》の少女《しょうじょ》』としてドラマ化《か》された。

©比嘉富子・みやうち沙矢／講談社

ことで安心《あんしん》して、砂浜《すなはま》で直裕《ちょくゆう》の腕枕《うでまくら》でねむりにつきました。

朝《あさ》、起《お》きると兄《あに》は死《し》んでいました。流《なが》れ弾《だま》に当《あ》たったのです。それから少《すこ》しして避《ひ》難民《なんみん》の人《ひと》の流《なが》れにおし流《なが》されて、ヨシ子《こ》、初子《はつこ》ともはぐれてしまいますが、「焦《あせ》らず、一人一人《ひとりひとり》が自分《じぶん》で判断《はんだん》して行動《こうどう》をとりなさい」と言《い》い残《のこ》してくれた父《ちち》の教《おし》えにしたがい、逃《に》げ続《つづ》けていくうちにガマ※の中《なか》にかくれ住《す》む老夫婦《ろうふうふ》に出会《であ》いました。

おじいさんは両手《りょうて》がひじからなく両足《りょうあし》がひざからありませんでした。おばあさんは目《め》が見《み》えませんでした。ふたりとそのガマでかくれ住《す》む生活《せいかつ》が始《はじ》まりました。

ある日《ひ》、ガマの近《ちか》くにアメリカ軍《ぐん》がせまってきました。おじいさんはおばあさんにたのんで自分《じぶん》のふんどしを枯《か》れ木《き》にくくりつけて白旗《しろはた》を作《つく》らせました。そして富子《とみこ》にそれを持《も》たせて高《たか》くかかげてガマから出《で》ていくように言《い》ったのです。富子《とみこ》はふたりとここにいたいと言《い》いました。それに対《たい》しておじいさんは富子《とみこ》に生《い》き続《つづ》けることを教《おし》え、強《つよ》く彼女《かのじょ》の背中《せなか》をおしたのです。

「富子《とみこ》の命《いのち》は自分《じぶん》だけのためにあるんじゃない　富子《とみこ》を生《う》んでくれたお父《とう》さんやお母《かあ》さんのものでもあるんだ」

富子《とみこ》はガマを出《で》ていきました。白《しろ》い旗《はた》を精《せい》いっぱい高《たか》くかかげて。アメリカ兵《へい》は富《とみ》子《こ》を撃《う》ちませんでした。代《か》わりにカメラで彼女《かのじょ》を撮《と》りました。その写真《しゃしん》は今《いま》も残《のこ》っています。

※ガマ：沖縄《おきなわ》では自然《しぜん》にできた洞穴《どうけつ》のことをこういう。

◀おじいさんは富子《とみこ》に優《やさ》しく命《いのち》の大切《たいせつ》さを語《かた》りました。

著者《ちょしゃ》プロフィール

原作《げんさく》：比嘉富子《ひがとみこ》（当時《とうじ》は松川富子《まつかわとみこ》）

1945年《ねん》6月《がつ》25日《にち》アメリカ陸軍《りくぐん》カメラマン、ジョン・ヘンドリクソンにより撮影《さつえい》された写真《しゃしん》「白旗《しろはた》の少女《しょうじょ》」で世界中《せかいじゅう》で有名《ゆうめい》になる。1989年《ねん》講談社《こうだんしゃ》から『白旗《しろはた》の少女《しょうじょ》』小説版《しょうせつばん》が出版《しゅっぱん》。写真《しゃしん》の撮影《さつえい》カメラマンのひとりとの対談《たいだん》、戦争《せんそう》の体験記《たいけんき》の構成《こうせい》になっている。

漫画《まんが》：みやうち沙矢《さや》

ロイヤルグルーミング学院《がくいん》卒業《そつぎょう》、講談社《こうだんしゃ》「別冊《べっさつ》フレンド」でデビュー。代表作《だいひょうさく》には『ほんまに関《かん》ジャニ∞（エイト）!!』『キミとカンピアーレ!』『あたしとハサミは使《つか》いよう』『天使《てんし》のブレス』『あっかんべービー』『永遠《えいえん》のウィズ』などがある。

「なんとかして生《い》きていくっていうのは学《まな》びの連《れん》続《ぞく》ですね」

生《い》き残《のこ》るため
理《り》不《ふ》尽《じん》な仕《し》打《う》ちに耐《た》えぬくために
非《ひ》難《なん》すべき相《あい》手《て》を学《まな》ぶ。

主人公《しゅじんこう》の木村《きむら》あいは、第二次世界大戦末《だいにじせかいたいせんまっ》期《き》の名古屋《なごや》で、国民学校《こくみんがっこう》※の高等科《こうとうか》に通《かよ》っていました。食糧難《しょくりょうなん》、軍事教練《ぐんじきょうれん》、学徒動員《がくとどういん》、防空演習《ぼうくうえんしゅう》、そして友人《ゆうじん》の死《し》など戦争中《せんそうちゅう》につきもののつらい状況《じょうきょう》のなか、彼女《かのじょ》の身《み》のまわりにも次第《しだい》に戦争《せんそう》の影《かげ》がせまってきます。

あいは、家《いえ》がまずしく、また4姉妹《しまい》のみで出征兵《しゅっせいへい》※を出《だ》せないことへの、隣組《となりぐみ》※や知《ち》人《じん》からのいやがらせやいやみなど、理不尽《りふじん》なしうちにとまどい、そして疑問《ぎもん》を持《も》ち続《つづ》けます。

防空演習《ぼうくうえんしゅう》が頻繁《ひんぱん》になったころ、あいは偶《ぐう》然《ぜん》国民学校《こくみんがっこう》の元恩師《もとおんし》、浅井先生《あさいせんせい》に会《あ》い「学《まな》びは教卓《きょうたく》の向《む》こうにあるものだけではない」「敵国《てきこく》を非難《ひなん》したくば敵国《てきこく》を、（中略《ちゅうりゃく》） 学《まな》びなさい、全《すべ》ての前《まえ》に〝学《まな》び〟があるのです」と、教師《きょうし》としての最《さい》後《ご》の言葉《ことば》を贈《おく》られ心《こころ》にきざみます。

1944年《ねん》12月《がつ》、名古屋《なごや》の市街地《しがいち》への大規模《だいきぼ》な空襲《くうしゅう》がはじまります。焼夷弾《しょういだん》の直撃《ちょくげき》で、あいは結婚《けっこん》を約束《やくそく》した男《おとこ》の子《こ》、洋三《ようぞう》を失《うしな》います。ですが、「生《い》きろ」という彼《かれ》の最期《さいご》の言葉《ことば》は、彼女《かのじょ》と家族《かぞく》たちに生《い》きぬく力《ちから》を与《あた》えます。だれもが生《い》きることに精《せい》いっぱいの時代《じだい》、彼女《かのじょ》は家族《かぞく》とのきずなを強《つよ》め、「生《い》きろ」という言葉《ことば》どおり運《うん》命《めい》にあらがい続《つづ》けました。

◀かつての恩師《おんし》が助《たす》けにあらわれ、あいに再《ふたた》び「学《まな》び」を語《かた》る。

困難《こんなん》な状況《じょうきょう》に立《た》ち向《む》かうには人任《ひとまか》せにせず、自分《じぶん》で学《まな》び、考《かんが》え、行動《こうどう》し続《つづ》けることが大切《たいせつ》。

ラジオから玉音放送《ぎょくおんほうそう》※が流《なが》れ、戦争《せんそう》の終《お》わりをつげます。疎開先《そかいさき》から名古屋《なごや》に帰《かえ》ったあいは、すぐに行方不明《ゆくえふめい》の友人《ゆうじん》を探《さが》しまわります。そこにアメリカ進駐軍《しんちゅうぐん》の通訳《つうやく》となった浅井先生《あさいせんせい》があらわれます。敵側《てきがわ》の仕事《しごと》をする恩師《おんし》に、あいはとまどい「大丈夫《だいじょうぶ》なんですか」と問《と》いかけます。

浅井先生《あさいせんせい》は婚約者《こんやくしゃ》を亡《な》くし、姉《あね》の残《のこ》した甥《おい》や姪《めい》を家族《かぞく》として育《そだ》てるために通訳《つうやく》になったこと、そして「それは憎《にく》いとか、誇《ほこ》りとか、そういう所《ところ》とはまったくちがう」思《おも》いだと語《かた》ります。そして以前《いぜん》、あいに贈《おく》った言葉《ことば》とともに「生《い》きていくっていうのは学《まな》びの連続《れんぞく》ですね」とつげて去《さ》ります。

戦時下《せんじか》という極限状況《きょくげんじょうきょう》のなかで彼女《かのじょ》と家《か》族《ぞく》を取《と》りまく人々《ひとびと》からの理不尽《りふじん》な行為《こうい》の意《い》味《み》、日本《にほん》の新《あら》たな価値観《かちかん》、すべてが学《まな》びの連続《れんぞく》であり、〝生《い》き抜《ぬ》く意思《いし》〟と〝家族《かぞく》のきずな〟、そして〝学《まな》びの姿勢《しせい》〟が、あいと家《か》族《ぞく》の命《いのち》を戦後《せんご》、そして現代《げんだい》へとつないだのです。

名古屋大空襲《なごやだいくうしゅう》とは？

名古屋大空襲《なごやだいくうしゅう》とは、太平洋戦《たいへいようせん》争末期《そうまっき》、アメリカ軍《ぐん》が1944年《ねん》12月《がつ》から翌年《よくねん》4月《がつ》まで、名古屋市《なごやし》とその近郊《きんこう》にくりかえし行《おこな》った空襲《くうしゅう》の総称《そうしょう》ですが、特《とく》に1945年《ねん》3月《がつ》12、19日《にち》、5月《がつ》14日《にち》など人口《じんこう》密集地域《みっしゅうちいき》を標的《ひょうてき》とした大規模無《だいきぼむ》差別爆撃《さべつばくげき》を指《さ》すこともあります。

1944年《ねん》7月《がつ》にマリアナ諸島《しょとう》が陥落《かんらく》し、爆撃機《ばくげきき》の拠点《きょてん》ができると日本各地《にほんかくち》が空襲《くうしゅう》されるようになりました。

当初《とうしょ》は、通常爆弾《つうじょうばくげき》による重要《じゅうよう》施設《しせつ》への精密爆撃中心《せいみつばくげきちゅうしん》でしたが、敗北《はいぼく》を認《みと》めない日本《にほん》に対《たい》し焼夷《しょうい》弾《だん》※を使《つか》った一般市民《いっぱんしみん》への無差別《むさべつ》爆撃《ばくげき》を行《おこな》います。名古屋近郊《なごやきんこう》には航空機《こうくうき》を中心《ちゅうしん》とした軍事産業《ぐんじさんぎょう》が多《おお》く点在《てんざい》したからとの言《い》いわけに、多《おお》くの市民《しみん》は無差別《むさべつ》に虐《ぎゃく》殺《さつ》されました。

※国民学校《こくみんがっこう》：現在《げんざい》の小中学校《しょうちゅうがっこう》にあたる学校《がっこう》。
※出征兵《しゅっせいへい》：戦争《せんそう》で海外《かいがい》に出《で》て戦《たたか》う兵士《へいし》。
※隣組《となりぐみ》：1940年《ねん》に「隣組強化法《となりぐみきょうかほう》」により制度化《せいどか》。思想統制《しそうとうせい》、お互《たが》いに監視《かんし》するのための組織《そしき》。
※玉音放送《ぎょくおんほうそう》：天皇自身《てんのうじしん》の肉声《にくせい》での放送《ほうそう》。終戦《しゅうせん》の詔書《しょうしょ》の音読《おんどく》をさす。
※焼夷弾《しょういだん》：攻撃対象《こうげきたいしょう》を焼《や》き払《はら》うための爆弾《ばくだん》、民家《みんか》の密集地《みっしゅうち》などに使《つか》われた。

作品《さくひん》紹介《しょうかい》

『あとかたの街《まち》』
著《ちょ》：おざわゆき　発行《はっこう》：講談社《こうだんしゃ》

12歳《さい》の少女《しょうじょ》・木村《きむら》あいをいくどとなくおそう、巨《きょ》大地震《だいじしん》と大空襲《だいくうしゅう》。進学《しんがく》はおろか食事《しょくじ》も十分《じゅうぶん》でないまずしい生活《せいかつ》。それすらもうばいとっていく戦争《せんそう》という状《じょう》況《きょう》。それでも、「生《い》きろ」という結婚《けっこん》を約束《やくそく》した男《おとこ》の子《こ》の最期《さいご》の言葉《ことば》と、国民学校《こくみんがっこう》の先生《せんせい》に教《おし》えられた“学《まな》ぶことの大切《たいせつ》さ”を胸《むね》に、だれもが生《い》きるのに精《せい》いっぱいのきびしい世《よ》の中《なか》を、家族《かぞく》とのきずなを心《こころ》のよりどころに生《い》きぬいていく。敗戦《はいせん》の色《いろ》こい太平洋戦争末《たいへいようせんそうまっ》期《き》の名古屋《なごや》を舞台《ぶたい》に奮闘《ふんとう》する、著者《ちょしゃ》の母《はは》の少女時代《しょうじょじだい》の実体験《じったいけん》をもとにフィクションをまじえた物語《ものがたり》。

©おざわゆき／講談社

著者《ちょしゃ》プロフィール

おざわゆき

1964年《ねん》生《う》まれ。愛知県出身《あいちけんしゅっしん》。2013年《ねん》に『凍《こお》りの掌《て》シベリア抑留記《よくりゅうき》』にて、文化庁《ぶんかちょう》メディア芸術祭《げいじゅつさい》マンガ部門《ぶもん》新人賞《しんじんしょう》を受賞《じゅしょう》。2015年《ねん》、同作《どうさく》および『あとかたの街《まち》』の2作《さく》にて、第《だい》44回《かい》日本漫画家協会賞《にほんまんがかきょうかいしょう》コミック部《ぶ》門《もん》大賞《たいしょう》を受賞《じゅしょう》。2016年《ねん》12月《がつ》現在《げんざい》、「BE LOVE」にて『傘寿《さんじゅ》まり子《こ》』連載中《れんさいちゅう》、コミックス第《だい》1巻《かん》好評発売《こうひょうはつばい》中《ちゅう》。このほか、代表作《だいひょうさく》に『築地《つきじ》はらぺこ回遊記《かいゆうき》』『築地《つきじ》まんぷく回遊記《かいゆうき》』などがある。

「俺《おれ》は確《たし》かに抜《ぬ》け目《め》のない男《おとこ》だ」

今《いま》さら終戦《しゅうせん》だなんて言《い》われても納得《なっとく》できない。

主人公《しゅじんこう》のベテランパイロット世良中尉《せらちゅうい》は、降伏調印《こうふくちょういん》※準備《じゅんび》のための「緑十字飛行《みどりじゅうじひこう》」作戦《さくせん》で日本軍内部《にほんぐんないぶ》の戦争継続《せんそうけいぞく》を目的《もくてき》とした反乱《はんらん》飛行隊《ひこうたい》をひきつける「オトリ」任務《にんむ》を引《ひ》き受《う》けます。

飛行前日《ひこうぜんじつ》、世良《せら》が操縦《そうじゅう》する試作機《しさくき》「連山《れんざん》」※は、エンジントラブルをおこし、反乱部隊《はんらんぶたい》の基地《きち》に降《お》り立《た》つことになります。そこで、彼《かれ》は、反乱部隊《はんらんぶたい》のひとり、「秋水《しゅうすい》」※のパイロット、三上中尉《みかみちゅうい》に出会《であ》うのです。

三上中尉《みかみちゅうい》は世良中尉《せらちゅうい》が、「緑十字飛行《みどりじゅうじひこう》」に関《かか》わる敵《てき》だと受《う》け止《と》めました。

「あなたを殺《ころ》したくは無《な》い」という三上中《みかみちゅう》尉《い》に対《たい》して、世良中尉《せらちゅうい》は「戦争《せんそう》をやめれば良《い》い」とさとします。しかし三上中尉《みかみちゅうい》は、「他《ほか》にもおおぜい戦友《せんゆう》が死《し》んだ 生《い》き残《のこ》ったの

少将 あなたが言った
とおり俺は確かに
抜け目のない男だ
俺は今 自分が
とんでもない悪人の
ような気分でいるんです
自分を責める
ことはない
責めを負うのは
私だ——
私たちだよ
信用できない
年寄りどもだ
あの男——三上中尉が
言ったようにな
俺たち
今度こそ
大東亜戦争
生き残ったな
海軍は亡《な》くなる
だが君たちは
誇りを
失くさずに
生きろ

▲世良中尉《せらちゅうい》は戦争《せんそう》でぬけ目《め》なく生《い》き残《のこ》った自分《じぶん》を、冷《さ》めた目《め》で語《かた》った。

※降伏調印《こうふくちょういん》：大日本帝国《だいにっぽんていこく》と連合軍《れんごうぐん》の間《あいだ》で交《か》わされた停戦協定《ていせんきょうてい》。　※連山《れんざん》：太平等戦争末期《たいへいようせんそうまっき》に試作《しさく》された四発陸上攻撃機《よんはつりくじょうこうげきき》。
※秋水《しゅうすい》：ロケットエンジン型試作局地戦闘機《がたしさくきょくちせんとうき》。

吉原《よしはら》昌宏《まさひろ》作品集《さくひんしゅう》1　迎撃空域《げいげきくうき》

は俺《おれ》だけだ　今《いま》さら終戦《しゅうせん》だなんて言《い》われても納得《なっとく》できないね」とことわります。それに対《たい》し世良中尉《せらちゅうい》は、学徒兵《がくとへい》※で実際《じっさい》の戦闘《せんとう》を経験《けいけん》していない三上中尉《みかみちゅうい》には、戦《たたか》う以外《いがい》の未来《みらい》があると教《おし》えようとしますが、彼《かれ》は「もう二度《にど》と元《もと》の自分《じぶん》には戻《もど》れない」と、世良《せら》中尉《ちゅうい》をつきはなしました。

基地《きち》にもどった世良中尉《せらちゅうい》は、上司《じょうし》の少将《しょうしょう》に対《たい》し、三上中尉《みかみちゅうい》のような精神状態《せいしんじょうたい》を作《つく》ったのは、無責任《むせきにん》に扇動《せんどう》したあなた方《がた》、お偉《えらい》方《がた》だとけわしい表情《ひょうじょう》で指摘《してき》するのです。

日本軍《にほんぐん》では、死《し》んで家族《かぞく》を守《まも》り、国《くに》につくすという思想《しそう》のもと、論理《りんり》や科学的視点《かがくてきしてん》を軽視《けいし》し、精神論《せいしんろん》を重視《じゅうし》する傾向《けいこう》がありました。三上中尉《みかみちゅうい》は、教《おし》えられた思想《しそう》から「戦死者《せんししゃ》は任務《にんむ》のなかばでたおれた。自分《じぶん》は彼《かれ》らの志《こころざし》を引《ひ》きつぐ責任《せきにん》がある。そうしなければ死者《ししゃ》に顔向《かおむ》けができない。自分《じぶん》の生命《いのち》をおしむような卑怯《ひきょう》なふるまいはできない」というふうに考《かんが》えるようになってしまったのです。

そして、「このまま終戦《しゅうせん》になったら、彼等《かれら》の死《し》がむだになる。自分《じぶん》は彼等《かれら》以上《いじょう》の行動《こうどう》をして、くつがえさねばならない」と、思《お》いこんでしまったのです。

軍隊生活《ぐんたいせいかつ》や、苛酷《かこく》な戦争状況《せんそうじょうきょう》は、兵士《へいし》の心身《しんしん》だけでなく、考《かんが》え方《かた》にも大《おお》きな影響《えいきょう》を与《あた》えます。無事《ぶじ》生《い》きのこったからといって、心《こころ》が被害《ひがい》を受《う》けていないとはかぎらないのです。それに対《たい》して世良中尉《せらちゅうい》は「俺《おれ》は確《たし》かに抜《ぬ》け目《め》のない男《おとこ》だ」と言《い》います。過酷《かこく》な状《じょう》況《きょう》を生《い》きぬくには、自分《じぶん》の考《かんが》えをしっかり持《も》ち続《つづ》けることが必要《ひつよう》なのです。

緑十字飛行《みどりじゅうじひこう》とは？

太平洋戦争《たいへいようせんそう》の終戦連絡事務処理《しゅうせんれんらくじむしょり》のために、白《しろ》地《じ》に緑十字《みどりじゅうじ》を描《えが》いた機体色《きたいしょく》の日本機《にほんき》で行《おこ》われた飛行《ひこう》のことです。

その中《なか》でも、1945年《ねん》8月《がつ》19日《にち》降伏調印《こうふくちょういん》の準備《じゅんび》のため、陸海軍《りくかいぐん》の代表《だいひょう》をマニラに行《い》き来《き》させた飛行《ひこう》は、歴史的《れきしてき》にも重要《じゅうよう》なものとなりました。

日本《にほん》のポツダム宣言受諾後《せんげんじゅだくご》、アメリカは進駐《しんちゅう》後《ご》の社会《しゃかい》の混乱《こんらん》をむかえ、またソビエト連邦《れんぼう》の北海道侵攻《ほっかいどうしんこう》を阻止《そし》するために、日本《にほん》の降伏調印《こうふくちょういん》と、本土《ほんど》への進駐《しんちゅう》を急《いそ》ぐ必要《ひつよう》がありました。

著者《ちょしゃ》プロフィール

吉原昌宏《よしはらまさひろ》

1959年《ねん》生《う》まれ。岡山県出身《おかやまけんしゅっしん》。1987年《ねん》に小学館《しょうがっかん》ビッグコミック賞入選《しょうにゅうせん》。代表作《だいひょうさく》には『ライカの帰還《きかん》』『迎撃空域《げいげきくういき》』『特殊任務飛行隊《とくしゅにんむひこうたい》　KG200』などがある。漫画《まんが》のほか、イラスト作品集《さくひんしゅう》『ミリタリー雑具箱《ざつぐばこ》』なども手掛《てが》けている。

作品紹介《さくひんしょうかい》

吉原昌宏作品集《よしはらまさひろさくひんしゅう》1『迎撃空域《げいげきくういき》』

著《ちょ》：吉原昌宏《よしはらまさひろ》　発行《はっこう》：幻冬舎《げんとうしゃ》

太平洋戦争終戦後《たいへいようせんそうしゅうせんご》、日本《にほん》は降伏調印《こうふくちょういん》を急《いそ》ぐアメリカの求《もと》めに応《おう》じ、陸海軍《りくかいぐん》の代表者《だいひょうしゃ》を特使機《とくしき》に乗《の》せてマニラに送《おく》った。この「緑十字飛行《みどりじゅうじひこう》」という史実《しじつ》をもとに、現実《げんじつ》には未完成《みかんせい》となった機体同士《きたいどうし》の空戦《くうせん》が、この作品《さくひん》でくり広《ひろ》げられている。

当時《とうじ》、日本軍《にほんぐん》は兵士《へいし》の心情《しんじょう》を利用《りよう》して、特攻作戦《とっこうさくせん》や玉砕戦闘《ぎょくさいせんとう》を納得《なっとく》させていた。対照的《たいしょうてき》に同時期《どうじき》のアメリカ軍《ぐん》では「PTSD」※のような症状《しょうじょう》を「戦闘神経症《せんとうしんけいしょう》（コンバット・ファティーグ）」と呼《よ》び、配慮《はいりょ》していた。

また主人公《しゅじんこう》が「俺《おれ》は抜《ぬ》け目《め》のない男《おとこ》だ」と言《い》っているのは、「大東亜《だいとうあ》解放《かいほう》や聖戦《せいせん》などといった大義名分《たいぎめいぶん》にはだまされませんよ」という意味《いみ》がこめられている。

©MASAHIRO.YOSHIHARA

※学徒兵《がくとへい》：日本《にほん》は兵士《へいし》の不足《ふそく》から20歳以上《さいいじょう》の学生《がくせい》を戦地《せんち》に送《おく》った。彼《かれ》らはこう呼《よ》ばれた。

※PTSD：心的外傷後《しんてきがいしょうご》ストレス障害《しょうがい》。強《つよ》いショックを受《う》ける体験《たいけん》から、心《こころ》にダメージを受《う》け、時間《じかん》がたってからその恐怖《きょうふ》があらわれる障害《しょうがい》。戦争体験《せんそうたいけん》はその原因《げんいん》のなかでも多《おお》い。ベトナム戦争《せんそう》ではアメリカ兵士《へいし》の多《おお》くが戦争《せんそう》への懐疑心《かいぎしん》から、PTSDを発症《はっしょう》した。

「もう二《に》度《ど》とわしらがうけた歴《れき》史《し》を逆《ぎゃく》もどりさせんように日《に》本《ほん》人《じん》みんなが力《ちから》を合《あ》わせせんといけんのじゃ」

「戦《せん》争《そう》と原《げん》爆《ばく》のけむりがたてば、日《に》本《ほん》人《じん》はみんなが力《ちから》を合《あ》わせて消《け》していくことじゃ」

太《たい》平《へい》洋《よう》戦《せん》争《そう》末《まっ》期《き》、アメリカ軍《ぐん》の爆《ばく》撃《げき》機《き》B-29が広《ひろ》島《しま》に原《げん》子《し》爆《ばく》弾《だん》（原《げん》爆《ばく》）を落《お》としました。そのB-29は「エノラゲイ」、落《お》とされた原《げん》爆《ばく》は「リトルボーイ」と名《な》づけられていました。当《とう》時《じ》、広《ひろ》島《しま》では原《げん》爆《ばく》は「ピカ」と呼《よ》ばれました。「ピカ」の爆《ばく》発《はつ》で主《しゅ》人《じん》公《こう》の中《なか》岡《おか》元《げん》（通《しゅう》称《しょう》ゲン）は、父《ちち》と姉《あね》と弟《おとうと》を失《うしな》い、生《い》き残《のこ》った家《か》族《ぞく》は被《ひ》ばくして苦《くる》しみ続《つづ》けます。

その後《ご》、日《に》本《ほん》はポツダム宣《せん》言《げん》を受《う》け入《い》れて終《しゅう》戦《せん》をむかえますが、「ピカ」をあびた人《ひと》たちにとっては生《い》きていく戦《たたか》いは終《お》わりませんでした。「ピカ」は広《ひろ》島《しま》の市《し》街《がい》地《ち》を壊《かい》滅《めつ》させ、かろうじて生《い》き残《のこ》った被《ひ》ばく者《しゃ》たちを死《し》ぬまで後《こう》遺《い》症《しょう》で苦《くる》しませ続《つづ》けました。

戦《せん》後《ご》の広《ひろ》島《しま》は、やくざや一《いち》部《ぶ》の権《けん》力《りょく》者《しゃ》など力《ちから》の強《つよ》いものが弱《よわ》いものからうばう不《ふ》条《じょう》理《り》にあふれた社《しゃ》会《かい》になっていました。

体《からだ》が不《ふ》自《じ》由《ゆう》になった被《ひ》ばく者《しゃ》たちは、見《み》た目《め》で社《しゃ》会《かい》から遠《とお》ざけられたり、在《ざい》日《にち》の米《べい》軍《ぐん》に治《ち》療《りょう》という名《めい》目《もく》で、放《ほう》射《しゃ》線《せん》の影《えい》響《きょう》を調《しら》

もう二度とわしらがうけた歴史を逆もどりさせんように日本人みんなが力を合わせせんといけんのじゃ
戦争と原爆のけむりがたてば日本人みんなが力を合わせて消していくことじゃ

▲兄《あに》の浩二《こうじ》はゲン同様《どうよう》に母《はは》の死《し》を悲《かな》しむが、ふたりの弟《おとうと》をさとし、導《みちび》いていった。

べるためと称《しょう》し実験体《じっけんたい》のようにあつかわれたりしました。

また一見《いっけん》、健康《けんこう》そうに見《み》える人《ひと》でも、いきなり死亡《しぼう》するなど後遺症《こういしょう》の恐怖《きょうふ》が常《つね》につきまとっていました。ゲンは周囲《しゅうい》に何《なに》かおこるたびに、深《ふか》い悲《かな》しみと、どこにぶつけたらいいかわからない怒《いか》りが、腹《はら》の底《そこ》からわき上《あ》がってきました。それでもゲンは怒《いか》りをおさえて、毎日《まいにち》を子《こ》どもたちだけで生《い》きのびていかなければいけません。

ゲンの仲間《なかま》たちは放射線障害《ほうしゃせんしょうがい》で少《すこ》しずつ弱《よわ》っていくゲンの母親《ははおや》を見《み》て、見《み》るにみかねてなんとか治療費《ちりょうひ》を稼《かせ》ぎ出《だ》そうと考《かんが》え、いろいろ知恵《ちえ》をしぼってわずかなお金《かね》を手《て》に入《い》れていきます。

それでも悲《かな》しみが重《かさ》なって、こらえきれなくなったゲンの怒《いか》りが頂点《ちょうてん》に達《たっ》し、自暴自棄《じぼうじき》な言葉《ことば》をさけんだそのとき、出《で》かせぎからもどった兄《あに》の浩二《こうじ》が、ゲンの行動《こうどう》を押《お》しとどめたのでした。

浩二《こうじ》は、怒《いか》りは何《なに》も生《う》まず、次《つぎ》の悲劇《ひげき》を生《う》むだけであり、怒《いか》りよりも、他人《たにん》を大切《たいせつ》に思《おも》う気持《きも》ちが大事《だいじ》なのだとさとしたのです。たくさんの悲劇《ひげき》を生《う》んだ戦争《せんそう》、原爆《げんばく》に対《たい》する怒《いか》りをだれかにぶつけても、また悲《ひ》劇《げき》がくりかえされるだけです。

「戦争《せんそう》と原爆《げんばく》のけむりがたてば　日本人《にほんじん》はみんなが力《ちから》を合《あ》わせて消《け》していくことじゃ」

そう浩二《こうじ》は言葉《ことば》を続《つづ》けています。原爆《げんばく》というおそろしい兵器《へいき》を生《う》み出《だ》し、使《つか》ってしまった人間《にんげん》という生《い》き物《もの》である私《わたし》たちが、平和《へいわ》な社会《しゃかい》をつくり、守《まも》り続《つづ》けるためには、「怒《いか》り」よりも「親《おや》や友人《ゆうじん》を大切《たいせつ》に思《おも》う気持《きも》ち」こそが大事《だいじ》であり、自分《じぶん》や社会《しゃかい》、そして全世界《ぜんせかい》の平和《へいわ》で明《あか》るく豊《ゆた》かな未来《みらい》をひらくという熱《あつ》いメッセージが読《よ》み取《と》れます。

「原爆症《げんばくしょう》」とは？

原子爆弾《げんしばくだん》や水素爆弾《すいそばくだん》によって発生《はっせい》する、放射線障害《ほうしゃせんしょうがい》を中心《ちゅうしん》とした健康被害《けんこうひがい》の総称《そうしょう》です。

原子爆弾《げんしばくだん》は、大《おお》きな爆発《ばくはつ》の過程《かてい》で、極《きわ》めて強《つよ》い放射線《ほんしゃせん》と、大量《たいりょう》の放射性物質《ほうしゃせいぶしつ》を出《だ》します。爆風《ばくふう》と熱《ねつ》で都市《とし》を破壊《はかい》し、同時《どうじ》に放射線《ほうしゃせん》で人々《ひとびと》を無差別攻撃《むさべつこうげき》する兵器《へいき》であり、その被《ひ》爆症状《ばくしょうじょう》も深刻《しんこく》なものです。

即死《そくし》、あるいは前《まえ》ぶれのない体調悪化《たいちょうあっか》からの死亡《しぼう》など、直後《ちょくご》の被曝症状《ひばくしょうじょう》だけでなく、10年以上《ねんいじょう》たってから発症《はっしょう》し死亡《しぼう》する例《れい》も多数《たすう》ありました。

著者《ちょしゃ》プロフィール

中沢啓治《なかざわけいじ》

1939年《ねん》生《う》まれ。代表作《だいひょうさく》は『はだしのゲン』。自身《じしん》の戦争体験《せんそうたいけん》、広島《ひろしま》での被爆体験《ひばくたいけん》を元《もと》に戦争《せんそう》を題材《だいざい》にした作品《さくひん》を数多《かずおお》く世《よ》に問《と》う。このほか『いつか見《み》た青《あお》い空《そら》』『黒《くろ》い雨《あめ》にうたれて』『黒《くろ》い河《かわ》の流《なが》れに』『黒《くろ》い鳩《はと》の群《む》れに』『オキナワ』など多数《たすう》。

作品《さくひん》紹介《しょうかい》

『はだしのゲン』

著《ちょ》：中沢啓治《なかざわけいじ》　発行《はっこう》：ほるぷ出版《しゅっぱん》

「週刊少年《しゅうかんしょうねん》ジャンプ」(集英社《しゅうえいしゃ》）にて、1973年《ねん》25号《ごう》から1974年《ねん》39号《ごう》まで連載《れんさい》された作品。『おれは見《み》た』を「週刊《しゅうかん》少年《しょうねん》ジャンプ」の漫画家自伝企画《まんがかじでんきかく》で発表《はっぴょう》、その内容《ないよう》を広《ひろ》げて連載《れんさい》したのが本作《ほんさく》である。連載終了後《れんさいしゅうりょうご》、1975年《ねん》に「市民《しみん》」、1977年《ねん》「文化評論《ぶんかひょうろん》」、1982年《ねん》「教育評論《きょういくひょうろん》」に連載《けいさい》を続《つづ》けた。本作《ほんさく》は、1976年《ねん》に実写映画化《じっしゃえいがか》、1983年《ねん》にアニメ映画化《えいがか》、1995年《ねん》にテレビドラマ化《か》された。1994年《ねん》、作品《さくひん》の原画《げんが》は広島平和記念資料館《ひろしまへいわきねんしりょうかん》にあずけられていたが、2009年《ねん》に全原画《ぜんげんが》が資料館《しりょうかん》に寄贈《きぞう》された。『はだしのゲン』には未完成《みかんせい》の第二《だいに》部《ぶ》があり、その原画《げんが》、下絵《したえ》も同時《どうじ》に寄贈《きぞう》されている。

©中沢啓治

「……教《おし》えて下《くだ》さい うちは この世《よ》におっても ええんじゃと 教《おし》えて下《くだ》さい」

生《い》きのびてしまったという罪《つみ》の意識《いしき》で……。

太平洋戦争末期《たいへいようせんそうまっき》、広島《ひろしま》で被爆《ひばく》した主人公《しゅじんこう》の皆実《みなみ》は、奇跡的《きせきてき》に生《い》き残《のこ》ったものの母《はは》と弟《おとうと》以外《いがい》の家族《かぞく》を失《うしな》います。10年後《ねんご》、彼女《かのじょ》は爆心地付近《ばくしんちふきん》に廃材《はいざい》などで作《つく》られた粗末《そまつ》な家《いえ》が立《た》ち並《なら》ぶ集落《しゅうらく》で、病気《びょうき》がちの母《はは》とふたり静《しず》かに暮《く》らしていました。時折《ときおり》、体《からだ》に残《のこ》された火傷《やけど》のあとを見《み》ては、原爆《げんばく》への困惑《こんわく》と生《い》き残《のこ》ったことへの罪悪感《ざいあくかん》で落《お》ちこみます。

ある日《ひ》、皆実《みなみ》は事務員《じむいん》として働《はたら》く会社《かいしゃ》の同僚《どうりょう》、打越《うちこし》に求婚《きゅうこん》されます。しかし、彼女《かのじょ》は被爆地《ひばくち》で死《し》に行《い》く人々《ひとびと》を見捨《みす》て生《い》き残《のこ》ってしまったという思《おも》いが罪悪感《ざいあくかん》となり、打《う》越《こし》の思《おも》いを素直《すなお》に受《う》けることができません。

原爆使用《げんばくしよう》の理屈《りくつ》

広島《ひろしま》、長崎《ながさき》への原爆投下《げんばくとうか》には、核爆弾《かくばくだん》を使《つか》ったことの是非《ぜひ》以前《いぜん》に、民間人《みんかんじん》への無差《むさ》別攻撃《べつこうげき》という問題《もんだい》があります。太平洋戦争《たいへいようせんそう》当時《とうじ》も、ハーグ陸戦条約《りくせんじょうやく》で民間人《みんかんじん》への攻撃《こうげき》は国際的《こくさいてき》に禁止《きんし》されています。投下《とうか》した米《べい》国側《こくがわ》にも、日本《にほん》を屈服《くっぷく》させ戦争《せんそう》を早期《そうき》に終《しゅう》結《けつ》し、自国《じこく》の兵士《へいし》や国民《こくみん》を守《まも》るという理屈《りくつ》があり、それもひとつの考《かんが》え方《かた》ではあります。しかし、大都市《だいとし》の中心部《ちゅうしんぶ》を丸《まる》ごと焼《や》き払《はら》い、放射線《ほうしゃせん》の影響《えいきょう》を数世代《すうせだい》に渡《わた》って残《のこ》し続《つづ》ける核爆弾《かくばくだん》の威力《いりょく》は、それを肯定《こうてい》するには余《あま》りに大《おお》きすぎるのです。

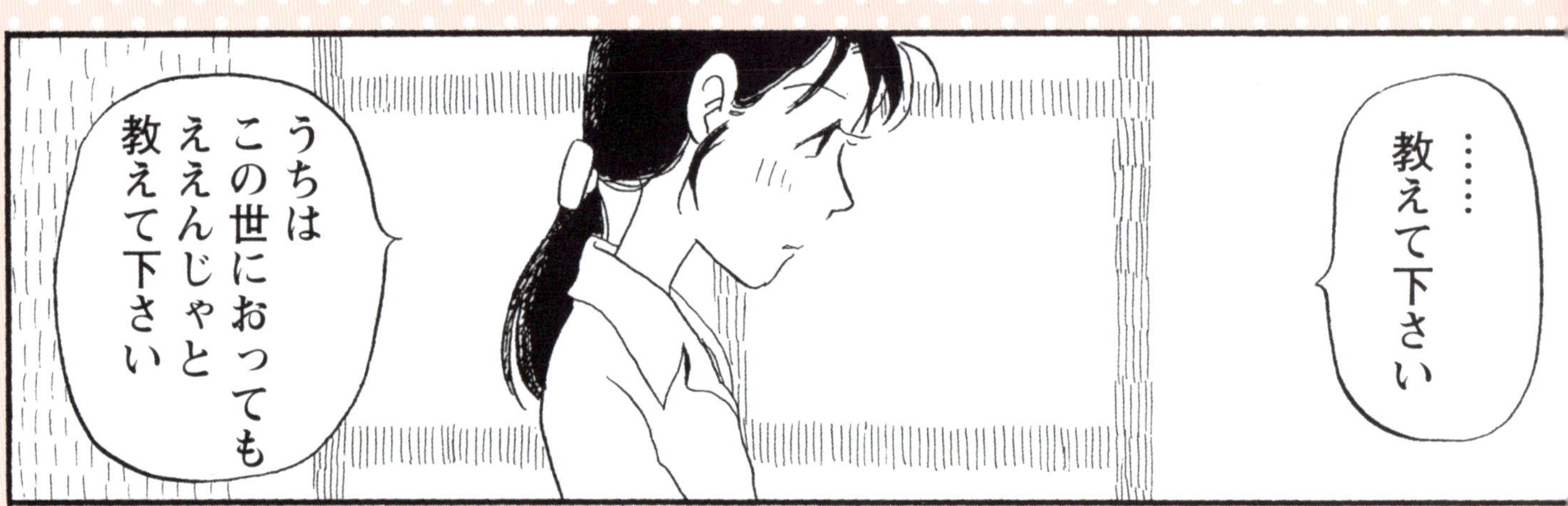

▲皆実《みなみ》は、原爆《げんばく》から生《い》き残《のこ》ってしまった罪悪感《ざいあくかん》や、いつ発病《はつびょう》するかわからない原爆症《げんばくしょう》の恐怖《きょうふ》から素直《すなお》に打越《うちこし》の気持《きも》ちを受《う》け止《と》められなかったが……。

生きとって

それきり
力は抜けっ
ぱなし
だった

それでもそこに人《ひと》がいるかぎり
人々《ひとびと》や街《まち》の営《いとな》みは続《つづ》いていく。

一度《いちど》は求婚《きゅうこん》を断《こと》わった皆実《みなみ》ですが、彼女《かのじょ》の原爆体験《げんばくたいけん》を聞《き》いた打越《うちこし》から「生《い》きとってくれてありがとうな」と言《い》われ、彼女《かのじょ》の心《こころ》は救《すく》われます。しかし、幸《しあわ》せもつかの間《ま》、彼女《かのじょ》に原爆症《げんばくしょう》の症状《しょうじょう》があらわれてしまいます。力《ちから》がぬけ、歩《ある》けなくなり、やがて床《とこ》にふせたまま、血《ち》をはき続《つづ》け失明《しつめい》。友人《ゆうじん》や家族《かぞく》が見守《みまも》るなか、彼女《かのじょ》は最後《さいご》に、「原爆《げんばく》を落《お》とした人《ひと》は、『やった！ また一人殺《ひところ》せた』とちゃんと思《おも》ってくれてる？」と思《おも》いながら静《しず》かに息《いき》をひきとります。

皆実《みなみ》は亡《な》くなりましたが、彼女《かのじょ》の友人《ゆうじん》や家族《かぞく》は、原爆症《げんばくしょう》の影《かげ》に苦《くる》しみながら生《い》き残《のこ》り、焼《や》きはらわれた街《まち》を再生《さいせい》し、そして次《つぎ》の世代《せだい》につないでいきました。私《わたし》たちはこの人類《じんるい》の悲劇《ひげき》を決《けっ》して忘《わす》れることなく未来《みらい》に伝《つた》え、二度《にど》とおこさぬようにしなければなりません。

作品紹介《さくひんしょうかい》

『夕凪《ゆうなぎ》の街《まち》 桜《さくら》の国《くに》』

著《ちょ》：こうの史代《ふみよ》　発行《はっこう》：双葉社《ふたばしゃ》

広島《ひろしま》へ落《お》とされた原子爆弾《げんしばくだん》に被爆《ひばく》した家族《かぞく》の、三代《さんだい》にわたる人間模様《にんげんもよう》を描《か》いた作品《さくひん》。被爆者自身《ひばくしゃじしん》を書《か》いた短篇《たんぺん》、『夕凪《ゆうなぎ》の街《まち》』と、その後日談《ごじつだん》の『桜《さくら》の国《くに》』で構成《こうせい》されている。ここでは『夕凪《ゆうなぎ》の街《まち》』についてとりあげる。原爆《げんばく》で、母《はは》と弟以外《おとうといがい》の家族《かぞく》を失《うしな》った主人公《しゅじんこう》の皆実《みなみ》は、10年後《ねんご》、知《し》り合《あ》いの男性《だんせい》、打越《うちこし》に求婚《きゅうこん》される。被爆地《ひばくち》で死《し》に行《い》く人々《ひとびと》を見捨《みす》て生《い》き残《のこ》ったという罪悪感《ざいあくかん》は時《とき》がたっても消《き》えず、彼女《かのじょ》はその申《もう》し出《で》をことわるが……。

©こうの史代

著者《ちょしゃ》プロフィール

こうの史代《ふみよ》

1968年生《ねんう》まれ。広島県出身《ひろしまけんしゅっしん》。1995年《ねん》、「漫画《まんが》アクションファミリー増刊《ぞうかん》」掲載《けいさい》の『街角花《まちかどはな》だより』でデビュー。代表作《だいひょうさく》に、『夕凪《ゆうなぎ》の街《まち》 桜《さくら》の国《くに》』『この世界《せかい》の片隅《かたすみ》に』『ぴっぴら帳《ノート》』などがある。戦争《せんそう》と広島《ひろしま》をテーマとした『夕凪《ゆうなぎ》の街《まち》 桜《さくら》の国《くに》』および『この世界《せかい》の片隅《かたすみ》に』が、それぞれ映画化《えいがか》されている。

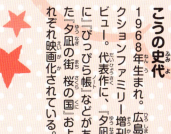

「何《なん》十《じゅう》年《ねん》かかろうとねばりにねばって最後《さいご》には勝《か》ってみぃ!!」

大阪市難波《おおさかしなんば》の戦災孤児《せんさいこじ》・哲《てつ》は、戦後《せんご》を必死《ひっし》に生《い》きていった。

太平洋戦争《たいへいようせんそう》の終戦《しゅうせん》を8月《がつ》にひかえた昭和《しょうわ》20年《ねん》6月《がつ》、アメリカ軍《ぐん》B-29の大空襲《だいくうしゅう》におそわれた大阪市《おおさかし》からこの物語《ものがたり》は始《はじ》まります。大阪《おおさか》から神戸《こうべ》一帯《いったい》がすべて焼《や》け野原《のはら》になり、川《かわ》には黒《くろ》こげの死体《したい》が無数《むすう》にうかび、建物《たてもの》はほとんど残《のこ》っていませんでした。

その街《まち》を手塚治虫《てづかおさむ》の分身《ぶんしん》である高塚修《たかつかおさむ》が逃《に》げるさまが細《こま》かく描《えが》かれます。そして絶望《ぜつぼう》のなかで日本《にほん》は終戦《しゅうせん》をむかえます。しかし彼《かれ》が主人公《しゅじんこう》ではありません。主人公《しゅじんこう》の名《な》は哲《てつ》といいます。彼《かれ》は大阪市難波《おおさかしなんば》の戦災孤児《せんさいこじ》です。

哲《てつ》は戦後《せんご》の大阪市難波《おおさかしなんば》のヤミ市《いち》で、彼《かれ》よりもっと小《ちい》さい戦災孤児《せんさいこじ》たちをたばねて靴《くつ》みがきをやって必死《ひっし》に生《い》きていこうともがいています。彼《かれ》には13歳《さい》の妹《いもうと》がいます。彼女《かのじょ》は哲《てつ》たちのかせぎが少《すく》なく食《た》べものにこまって身《み》を売《う》ろうとしますが、哲《てつ》はそれをおこります。それでも哲《てつ》は妹《いもうと》をとめることができませんでした。食《た》べていかなければ死《し》んでしまうからです。

哲《てつ》は父母《ふぼ》そして日本人《にほんじん》をたくさん殺《ころ》し、妹《いもうと》に身《み》を売《う》らせ、日本中《にほんじゅう》を焼《や》け野原《のはら》にして占領《せんりょう》しているアメリカ軍《ぐん》を強《つよ》くにくみます。そして日本人《にほんじん》のかたきをうとうと考《かんが》え、占《せん》領軍総司令官《りょうぐんそうしれいかん》ダグラス・マッカーサーをつけねらい、銃《じゅう》で暗殺《あんさつ》をたくらみます。マッカーサーを殺《ころ》すのは日本人全体《にほんじんぜんたい》のかたきうちだと哲《てつ》は考《かんが》えたのです。

作品《さくひん》紹介《しょうかい》

『どついたれ』

著《ちょ》：手塚治虫《てづかおさむ》　発行《はっこう》：集英社《しゅうえいしゃ》

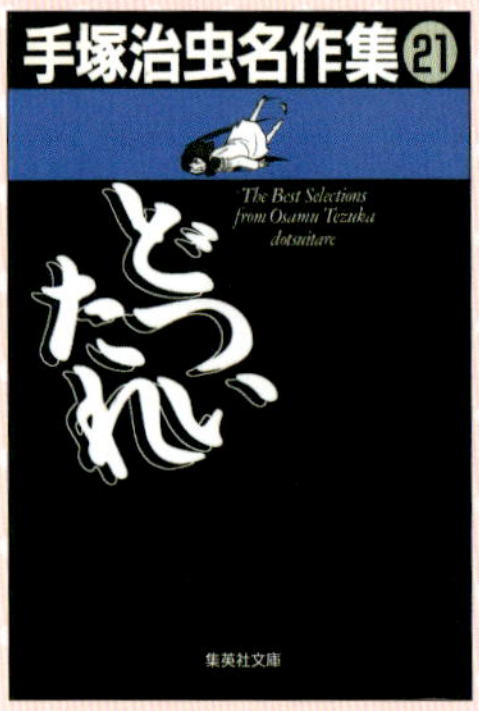

昭和《しょうわ》54年《ねん》6月《がつ》から55年《ねん》11月《がつ》まで「週刊《しゅうかん》ヤングジャンプ」に連載《れんさい》された作品《さくひん》で未完《みかん》に終《お》わっている。作中《さくちゅう》に登場《とうじょう》する哲以外《てついがい》の河内《かわち》のトモやん、八尾《やお》のヒロやん、葛城健二《かつらぎけんじ》、高塚修《たかつかおさむ》などはみんな実在《じつざい》のモデルが存在《そんざい》する。彼《かれ》らは戦後《せんご》の動乱期《どうらんき》を強《つよ》く生《い》きぬいて、その後《ご》の作者《さくしゃ》の人生《じんせい》にもおおきくかかわっていった。自《じ》伝的要素《でんてきようそ》の強《つよ》い作品《さくひん》。

©手塚プロダクション

著者《ちょしゃ》プロフィール

手塚治虫《てづかおさむ》

1928年《ねん》(昭和《しょうわ》3年《ねん》)生《う》まれ。虫《むし》プロダクションを設立《せつりつ》し日本初《にほんはつ》、テレビアニメシリーズ『鉄腕《てつわん》アトム』を制作《せいさく》、発表《はっぴょう》。『ブラック・ジャック』『三《み》つ目《め》がとおる』『ブッダ』ほか、多数《たすう》の名作《めいさく》を執筆《しっぴつ》。また青年《せいねん》コミック誌上《しじょう》でも傑作《けっさく》を多数発表《たすうはっぴょう》、『陽《ひ》だまりの樹《き》』『アドルフに告《つ》ぐ』などを残《のこ》す。デビューから死去《しきょ》まで常《つね》に第一線《だいいっせん》で作品《さくひん》を発表《はっぴょう》し、「マンガの神様《かみさま》」と言《い》われた。

どんなにまずしくて、人《ひと》をにくんでも人《ひと》の道《みち》を外《はず》しちゃいけない。

日本《にほん》では江戸《えど》時代《じだい》にはかたき討《う》ちは法的《ほうてき》に認《みと》められた行為《こうい》でした。しかし、規模《きぼ》の大《おお》きい戦争《せんそう》においては、にくしみの連鎖《れんさ》を広《ひろ》げるだけです。それを知《し》って哲《てつ》の復讐《ふくしゅう》をとめたのは近代的《きんだいてき》な思想《しそう》の持《も》ち主《ぬし》ではなく、任侠《にんきょう》に生《い》きるやくざの老人《ろうじん》でした。彼《かれ》の名《な》は掛川団治《かけがわだんじ》といいます。

「日本《にほん》は戦争《せんそう》に負《ま》けた。たくさんの人《ひと》が殺《ころ》されて、食《た》べ物《もの》がなくて、今《いま》もうえて人《ひと》が死《し》んだりしている。その復讐《ふくしゅう》を日本人全員《にほんじんぜんいん》になりかわってやってやるのがなにが悪《わる》い」と哲《てつ》は掛川《かけがわ》に言《い》います。しかしそこを掛川《かけがわ》は人《ひと》の道《みち》をはずさないで「最後《さいご》に勝《か》つことが復讐《ふくしゅう》なんだ」と言《い》ってさとすのです。

掛川《かけがわ》は任侠《にんきょう》に生《い》きています。GHQの司令官《しれいかん》ひとりを殺《ころ》してもかわりはいくらでもいる。それでは哲《てつ》という若《わか》い将来《しょうらい》のある日本人《にほんじん》の命《いのち》を無駄《むだ》に捨《す》てるだけのことだ。生《い》きてアメリカを超《こ》える国《くに》を作《つく》ることが本当《ほんとう》の意味《いみ》の復讐《ふくしゅう》になる、たいへんだが哲《てつ》たち若者《わかもの》が、これからしなければいけないことだとさとすのです。

弱《よわ》い者《もの》は死《し》に、法《ほう》は人《ひと》を守《まも》ってはくれない、そんな無法《むほう》の戦後社会《せんごしゃかい》のなかから、はい上《あ》がっていこうとする大阪《おおさか》の人々《ひとびと》のエネルギーを感《かん》じる作品《さくひん》です。

◀掛川《かけがわ》が命《いのち》をかけて哲《てつ》を説得《せっとく》する。

ヤミ市《いち》とは？

太平洋戦争《たいへいようせんそう》が終結《しゅうけつ》し、連合軍《れんごうぐん》が占領《せんりょう》した日本《にほん》は海外《かいがい》からの兵隊《へいたい》の引《ひ》き上《あ》げなどで都市人口《としじんこう》は増加《ぞうか》し、政府《せいふ》の統制物資《とうせいぶっし》は底《そこ》をついてしまい、配給制度《はいきゅうせいど》ではみんなが食事《しょくじ》ができない状態《じょうたい》にありました。

1945年《ねん》、上野《うえの》の餓死者《がししゃ》は一日平均《いちにちへいきん》25人《にん》、大阪《おおさか》では60人以上《にんいじょう》。「ヤミ」とは政府《せいふ》の配給《はいきゅう》に頼《たよ》らない食料《しょくりょう》の調達《ちょうたつ》マーケットを指《さ》した呼称《こしょう》です。ヤミ市《いち》は国民《こくみん》の生活《せいかつ》に必要《ひつよう》だったことから政府《せいふ》はこれを黙認《もくにん》しました。

戦後《せんご》、ソ連《れん》の捕虜《ほりょ》となった日本人《にほんじん》は、極寒《ごっかん》のシベリアへ送《おく》られ、強制的《きょうせいてき》な労働《ろうどう》につかわれた。

「あん時《とき》 食《た》べたパイナップルがあまりにも美味《おい》しくて生《い》き延《の》びてやろうと思《おも》いまして！」

捕虜《ほりょ》として極寒《ごっかん》のシベリアにある強制収容《きょうせいしゅうよう》所《じょ》に送《おく》られた主人公《しゅじんこう》は、〝道具以下《どうぐいか》〟のあつかいを受《う》け、強制労働《きょうせいろうどう》をしいられます。そこでの食事《しょくじ》は、野外労働《やがいろうどう》のときでさえ、こおった黒《くろ》パンと、羊肉《ひつじにく》の塩《しお》づけやジャガイモなどを煮《に》こんだおかゆのようなスープのみと、とてもまずしいものでした。

帝国《ていこく》ホテルの見習《みなら》いコックだった主人公《しゅじんこう》は、そのまずしい食事《しょくじ》を、おいしい料理《りょうり》を想像《そうぞう》しながら食《た》べてみますが、あまりのまずさに自分《じぶん》をだますことは無理《むり》でした。

そのとき、彼《かれ》のもとに、経歴《けいれき》を知《し》ったソ連兵《れんへい》が訪《たず》ねてきて、自分《じぶん》たちの厨房《ちゅうぼう》を貸すので、病床《びょうしょう》で死《し》にかけている捕虜《ほりょ》へ〝最期《さいご》のめし〟を作《つく》ってやってほしいとつげます。依頼《いらい》をうけ、息《いき》もたえだえの捕虜《ほりょ》の日本兵《にほんへい》に希望《きぼう》を聞《き》くと、それは「『パイナップル』という食《た》べものを食《た》べたい」というものでした。

あんた…確か…死んだはずじゃ？
へへへ…
あん時 食べたパイナップルがあまりにも美味《おい》しくて
生き延びてやろうと思いまして！

▶死《し》にひんした男《おとこ》は、おいしい料理《りょうり》を食《た》べたことで生《い》きる力《ちから》を得《え》たのだった。

「食《しょく》」は人間《にんげん》の根源的《こんげんてき》な欲求《よっきゅう》のひとつ 絶望的《ぜつぼうてき》な状況下《じょうきょうか》では、生《い》きる希望《きぼう》そのものにもなる。

〝最期《さいご》のめし〟にパイナップルを求《もと》められた主人公《しゅじんこう》ですが、極寒《ごっかん》の地《ち》に、熱帯地方《ねったいちほう》原産《げんさん》の果物《くだもの》があるはずがありません。そこで彼《かれ》は、試行錯誤《しこうさくご》の末《すえ》、こおった林檎《りんご》をシロップなどで加工《かこう》することで〝それらしいもの〟を作《つく》りあげ、見事《みごと》、病床《びょうしょう》にある捕虜《ほりょ》に要望通《ようぼうどお》りの〝最期《さいご》のめし〟を食《た》べさせます。

数《すう》ヵ月後《げつご》、主人公《しゅじんこう》は、死《し》にかけていたはずのその捕虜《ほりょ》に、バッタリと出会《であ》います。おどろく主人公《しゅじんこう》に対《たい》して、「あん時《とき》 食《た》べたパイナップルが あまりにも美味《おい》しくて 生《い》き延《の》びてやろうと思《おも》いまして！」とうれしそうに話《はな》し、すっかり元気《げんき》を取《と》りもどしていました。

「衣食足《いしょくた》りて礼節《れいせつ》を知《し》る」ということわざがあるように、衣料《いりょう》や休《やす》める場所《ばしょ》、そして、食事《しょくじ》が足《た》りていないと人間的《にんげんてき》な生活《せいかつ》はままなりません。また、食欲《しょくよく》、性欲《せいよく》、睡眠欲《すいみんよく》が典型的《てんけいてき》な例《れい》として挙《あ》げられる三大欲《さんだいよく》など、人間《にんげん》という種《しゅ》の存続《そんぞく》にかかせない欲望《よくぼう》を並《なら》べるときも、食欲《しょくよく》は必《かなら》ず上位《じょうい》に入《はい》ります。

食《しょく》がまずしいところで生命《せいめい》の危機《きき》にひんしたとき、おいしい食《た》べものを知《し》り、また食《た》べたいと願《ねが》うことは、なによりも生《い》きる希望《きぼう》となるのかもしれません。

シベリア抑留《よくりゅう》

終戦後《しゅうせんご》、ソビエト社会主義共和国連邦《しゃかいしゅぎきょうわこくれんぽう》(ソ連《れん》)が占領《せんりょう》した地域《ちいき》で、投降《とうこう》し捕虜《ほりょ》になった日本兵《にほんへい》と民間人《みんかんじん》は、開拓《かいたく》のために極寒《ごっかん》のシベリアやモンゴルの強制収容所《きょうせいしゅうようじょ》に送《おく》られ、その人数《にんずう》は約《やく》107万人《まんにん》とも言《い》われています。

彼《かれ》らは、帰国《きこく》がゆるされないまま、たえがたい寒《さむ》さや、収容所《しゅうようじょ》の不衛生《ふえいせい》さ、まずしい食事《しょくじ》など極《きわ》めて劣悪《れつあく》な環境下《かんきょうか》で、苛酷《かこく》な強制労働《きょうせいろうどう》を長期《ちょうき》にわたりしいられます。またそこでは、かつていばりちらした上官《じょうかん》への仕返《しかえ》しや、教育《きょういく》によってソ連《れん》の信条《しんじょう》に態度《たいど》を変えた者《もの》からの暴行《ぼうこう》など、同《おな》じ日本人捕虜同士《にほんじんほりょどうし》のリンチや争《あらそ》いも日常的《にちじょうてき》におこりました。そして、すべての抑留者《よくりゅうしゃ》の帰国《きこく》が完了《かんりょう》する11年後《ねんご》までに、約《やく》34万人《まんにん》が命《いのち》を落《お》とす結果《けっか》となりました。

作品紹介《さくひんしょうかい》

『戦争《せんそう》めし』其《そ》の五「極寒《ごっかん》のパイナップル」

著《ちょ》：魚乃目三太《うおのめさんた》　発行《はっこう》：秋田書店《あきたしょてん》（ヤングチャンピオン・コミックス）

実話《じつわ》をもとにした、第二次世界大戦下《だいにじせかいたいせんか》の日本人《にほんじん》の“めし（食事《しょくじ》）”と、それにまつわる人々《ひとびと》の姿《すがた》を描《えが》いたオムニバス作品集《さくひんしゅう》。

「戦時下《せんじか》のお寿司屋《すしや》」、「収容所《しゅうようじょ》で作《つく》られた焼《や》き飯《めし》」、「戦艦大和《せんかんやまと》のオムライス」など、戦時下《せんじか》における陸《りく》海軍《かいぐん》の兵士《へいし》や、民間人《みんかんじん》の食生活《しょくせいかつ》が、各話《かくわ》ごとにさまざまな視点《してん》で語《かた》られる。

ここでは、著名《ちょめい》な料理家《りょうりか》・村上信夫《むらかみのぶお》の実話《じつわ》をモデルとする、シベリア抑留下《よくりゅうか》の日本人《にほんじん》の最期《さいご》のめしを描《えが》いた１話《わ》、「極寒《ごっかん》のパイナップル」を紹介《しょうかい》する。

©魚乃目三太

著者《ちょしゃ》プロフィール

魚乃目三太《うおのめさんた》

1975年生《ねんう》まれ。奈良県出身《ならけんしゅっしん》。代表作《だいひょうさく》に、『コミックホームレス中学生《ちゅうがくせい》』『スカイツリーの周辺《しゅうへん》で愛《あい》を叫《さけ》ぶ』『しあわせのひなた食堂《しょくどう》』などがある。

「きさまは死《し》ぬ必要《ひつよう》はない生《い》きろ!! 今《いま》さら死《し》んでいくのはわしのような機械人間《きかいにんげん》だけでよい」

死神鬼堂大佐《しにがみきどうたいさ》は、特攻兵《とっこうへい》に死《し》に方《かた》だけを教《おし》えた。

1970年（昭和45年《しょうわねん》）日本《にほん》では東京《とうきょう》を中心《ちゅうしん》に「安保粉砕《あんぽふんさい》をスローガン」※に学生運動《がくせいうんどう》の嵐《あらし》がまきおこっていました。

雨《あめ》の国会前《こっかいまえ》、大規模《だいきぼ》な学生《がくせい》デモ隊《たい》と彼《かれ》らをけん制《せい》する機動隊《きどうたい》のあいだに日本刀《にほんとう》をぬいた初老《しょろう》の男《おとこ》が飛《と》びこんでいきました。彼《かれ》は日本《にほん》が敗戦《はいせん》により作《つく》った新憲法第二章第九条《しんけんぽうだいにしょうだいきゅうじょう》を口《くち》にして、日本《にほん》は軍隊《ぐんたい》を持《も》たない国《くに》になったとさけびます。

そのころは第二次世界大戦後《だいにじせかいたいせんご》におこったベトナム戦争《せんそう》が悪化《あっか》、長期化《ちょうきか》した元凶《げんきょう》となったアメリカを学生《がくせい》たちが非難《ひなん》していた時期《じき》でした。

男《おとこ》は、日本《にほん》がアメリカの手先《てさき》になろうとしているとうれいていたのです。学生《がくせい》も機動隊《きどうたい》も、その男《おとこ》の態度《たいど》を理解《りかい》できず、ついに乱闘《らんとう》がおきてしまいます。群衆《ぐんしゅう》の中《なか》でもみくちゃになったその男《おとこ》は、病院《びょういん》にかつぎこまれて死《し》んでしまいます。

『カミカゼ』は、この男《おとこ》が死《し》ぬまでに見《み》た走馬灯《そうまとう》のような第二次世界大戦末期《だいにじせかいたいせんまっき》の瀬戸内海《せとないかい》での神風特別攻撃隊《かみかぜとくべつこうげきたい》での記憶《きおく》の話《はなし》です。

太平洋戦線《たいへいようせんせん》から、牧少尉《まきしょうい》は瀬戸内海《せとないかい》に転属《てんぞく》になり、

※「安保粉砕《あんぽふんさい》をスローガン」：日米安全保障条約《にちべいあんぜんほしょうじょうやく》をとりさげることを主張《しゅちょう》するという意味《いみ》。

牧少尉《まきしょうい》へ よくやった! こういうことも あろうかと 郷田《ごうだ》の後《うし》ろに きさまを 飛《と》ばせた のだ……
それで きさまの 任務《にんむ》は 終《お》わった! きさまは死《し》ぬ 必要《しつよう》はない 生《い》きろ!! ……
な なんです って!?
今《いま》さら 死《し》んでいくのは 罪《つみ》を背《せ》おった わしのような 機械人間《きかいにんげん》だけでよい
祖国《そこく》は荒廃《こうはい》しておる 今日本《いまにっぽん》に必要《ひつよう》なのは きさまのような人間《にんげん》だ
生《い》きろ牧少尉《まきしょうい》! これはわしのさいごの 命令《めいれい》だ!!

▶最後《さいご》の日《ひ》、特攻隊《とっこうたい》からはずれていく牧《まき》に鬼堂《きどう》は、自分《じぶん》の気持《きも》ちを伝《つた》える。

敗戦《はいせん》によって 新憲法第二章《しんけんぽうだいにしょう》 第九条《だいきゅうじょう》に日本《にっぽん》は ふたたび軍隊《ぐんたい》を もたないと うたった!
そうだっ そうだっ

◀牧《まき》は学生《がくせい》たちのデモ隊《たい》と機動隊《きどうたい》のあいだに立《た》ち、日本《にほん》の平和《へいわ》の尊《とうと》さを説《と》いた。

そこで死神《しにがみ》と異名《いみょう》を持《も》つ鬼堂大佐《きどうたいさ》とはげしく対立《たいりつ》します。大戦末期《たいせんまっき》、若者《わかもの》を殺《ころ》していくことでしか戦《たたか》えない鬼堂大佐《きどうたいさ》に対《たい》し、牧《まき》は強《つよ》く反発《はんぱつ》するのです。

鬼堂《きどう》が牧《まき》に与《あた》えた
最後《さいご》の命令《めいれい》は、生《い》きろ!!

終戦《しゅうせん》の日《ひ》、鬼堂大佐《きどうたいさ》は多《おお》くの若者《わかもの》を死《し》に追《お》いやったことを悔《く》い、自《みずか》ら零戦《ぜろせん》に乗《の》り、最後《さいご》の特攻《とっこう》に行《い》くことを死神隊《しにがみたい》のみんなにつげます。彼《かれ》はとうに自分《じぶん》が死《し》ぬ覚悟《かくご》はできていました。鬼堂《きどう》の気持《きも》ちに牧《まき》も共鳴《きょうめい》し特攻《とっこう》を志願《しがん》しますが、飛行中《ひこうちゅう》に自機《じき》の破損《はそん》により鬼堂隊《きどうたい》についていけなくなります。

その破損《はそん》は、牧《まき》を思《おも》って鬼堂《きどう》がしくんだことでした。隊《たい》を離脱《りだつ》していく牧《まき》の零戦《ぜろせん》に、鬼堂《きどう》は言《い》いました。

「それで、貴様《きさま》の任務《にんむ》は終《お》わった！　貴様《きさま》は生《い》きろ!!　今《いま》さら死《し》んでいくのはわしのような機械人間《きかいにんげん》だけでよい」

それまで、鬼堂《きどう》の戦争《せんそう》に対《たい》しての姿勢《しせい》を理解《りかい》しかねていた牧少尉《まきしょうい》は、自分《じぶん》がどれほど鬼堂《きどう》をわかっていなかったかをそこで知《し》ります。そして終戦《しゅうせん》をむかえ、牧《まき》は軍隊《ぐんたい》をはなれ、敗戦国日本《はいせんこくにほん》のどこかで生《い》きてきたのでしょう。

彼《かれ》は国会前《こっかいまえ》で学生《がくせい》デモ隊《たい》と機動隊《きどうたい》がぶつかろうとしたとき、黙《だま》っていることができなくなったのです。彼《かれ》らの守《まも》ろうとしていた日本《にほん》の未来《みらい》は、今《いま》の日本《にほん》ではないと。国内《こくない》で若者《わかもの》が争《あらそ》いあい、次《つぎ》の戦争《せんそう》の影《かげ》が暗《くら》く立《た》ちこめる不安《ふあん》な日本《にほん》ではなかったと。その老人《ろうじん》の熱《あつ》い思《おも》いは時代《じだい》のうずに飲《の》まれていきました。ただ、彼《かれ》のその気持《きも》ちはだれかに伝《つた》わったにちがいない、そう感《かん》じさせる作品《さくひん》のラストです。

日米安全保障条約《にちべいあんぜんほしょうじょうやく》とは

1951年《ねん》、日本《にほん》とアメリカ間《かん》で交《か》わされた条約《じょうやく》。アメリカ軍《ぐん》が日本《にほん》に駐留《ちゅうりゅう》し、軍事的《ぐんじてき》に日本《にほん》を守《まも》るという趣旨《しゅし》の条約《じょうやく》。同日《どうじつ》に日本国《にほんこく》との平和条約《へいわじょうやく》が結《むす》ばれました。

1960年《ねん》、日本《にほん》とアメリカの軍事的相互協力《ぐんじてきそうごきょうりょく》を入《い》れた「日米相互協力及《にちべいそうごきょうりょくおよ》び安全保障条約《あんぜんほしょうじょうやく》」（新安保条約《しんあんぽじょうやく》）が結《むす》ばれました。

このころ日本《にほん》の自立《じりつ》、他国間《たこくかん》の戦争《せんそう》に日本《にほん》の国民《こくみん》が動員《どういん》される不安感《ふあんかん》などから大学生《だいがくせい》を中心《ちゅうしん》に、政府《せいふ》に安保条約《あんぽじょうやく》をとりさげさせるよう働《はたら》きかける動《うご》きが活発《かっぱつ》になりました。

作品《さくひん》紹介《しょうかい》

『カミカゼ』
著《ちょ》：影丸譲也《かげまるじょうや》　発行《はっこう》：ほるぷ出版《しゅっぱん》

1971年《ねん》（昭和《しょうわ》46年《ねん》）、太平洋戦争《たいへいようせんそう》の末期《まっき》、太平洋《たいへいよう》の飛行場《ひこうじょう》で戦闘機《せんとうき》に乗《の》る牧少尉《まきしょうい》は突然《とつぜん》、瀬戸内海《せとないかい》の基地《きち》に転属《てんぞく》の指令《しれい》を受《う》ける。戦局《せんきょく》はますます悪化《あっか》し、B-29の大編隊《だいへんたい》が東京近郊《とうきょうきんこう》の工場群《こうじょうぐん》に空襲《くうしゅう》を始《はじ》めていた。

牧少尉《まきしょうい》は神風特別攻撃隊《かみかぜとくべつこうげきたい》に編入《へんにゅう》され、本土防衛《ほんどぼうえい》の任《にん》についた。そこには、死神隊《しにがみたい》を率《ひき》いる鬼堂海軍大佐《きどうかいぐんたいさ》が新米特攻兵《しんまいとっこうへい》の指導《しどう》についていた。牧《まき》は、若《わか》い兵士《へいし》に特攻《とっこう》の仕方《しかた》だけを教《おし》え死《し》へむかわせる鬼堂大佐《きどうたいさ》に反抗《はんこう》。終戦《しゅうせん》をむかえると、鬼堂大佐《きどうたいさ》は終戦後《しゅうせんご》に自《みずか》ら特攻《とっこう》し命《いのち》を絶《た》つことで自分《じぶん》の生《い》き方《かた》にけじめをつけた。そして特攻《とっこう》の直前《ちょくぜん》、兵士《へいし》に死《し》だけを教《おし》えてきた彼《かれ》は、牧《まき》に生《い》きろと強《つよ》く言《い》い残《のこ》して太平洋《たいへいよう》に消《き》えていった。牧《まき》はその態度《たいど》におどろくと同時《どうじ》に、自分《じぶん》も彼《かれ》についていこうとしたが、かなわなかった。

©影丸譲也

著者《ちょしゃ》プロフィール

影丸譲也《かげまるじょうや》

1940年《ねん》大阪市《おおさかし》生《う》まれ。代表作《だいひょうさく》は『空手《からて》バカ一代《いちだい》』『ワル』『プロ打《う》ち牙《きば》』（宮川総一郎《みやかわそういちろう》原作《げんさく》）、NHK再現《さいげん》ドキュメンタリー『プロジェクトX』、NHK大河《たいが》ドラマ『義経《よしつね》』コミック化《か》。

第二次世界大戦《だいにじせかいたいせん》が終《お》わった後《あと》も、世界中《せかいじゅう》のいたるところで戦争《せんそう》はおこり続《つづ》けていた。

第二次世界大戦《だいにじせかいたいせん》が終《お》わった後《あと》、世界中《せかいじゅう》で次々《つぎつぎ》とおこった戦争《せんそう》は、内乱《ないらん》、独立戦争《どくりつせんそう》などをふくめれば100以上《いじょう》になります。大戦《たいせん》が終《お》わったとき、人々《ひとびと》は、もう二度《にど》とあんな悲惨《ひさん》な戦争《せんそう》はくりかえしたくないと思《おも》っていたはずです。それなのにすぐに世界《せかい》のいたるところで、小規模《しょうきぼ》な戦争《せんそう》が次々《つぎつぎ》と始《はじ》まっていったのです。日本《にほん》では幸《さいわ》いにして戦争《せんそう》はおこりませんでした。そのため世界《せかい》のどこかでおこっている戦争《せんそう》を日本人《にほんじん》はあまりよく知《し》りませんでした。

戦争《せんそう》の当事者《とうじしゃ》でない国《くに》、代理戦争《だいりせんそう》をしているアメリカ、ロシアの国民《こくみん》なども、戦争《せんそう》がおこっている現地《げんち》の悲惨《ひさん》な実態《じったい》を、日本人《にほんじん》と同様《どうよう》によく知《し》りませんでした。そういった戦争《せんそう》の実態《じったい》を写真《しゃしん》に撮《と》って世界《せかい》に伝《つた》える仕事《しごと》が報道《ほうどう》カメラマンです。その代表《だいひょう》的《てき》な人《ひと》がロバート・キャパでした。

彼《かれ》は最後《さいご》は戦場《せんじょう》で命《いのち》を失《うしな》いました。戦争《せんそう》を報道《ほうどう》することに一生《いっしょう》をささげたのです。彼《かれ》のような人々《ひとびと》の命《いのち》をかけた活動《かつどう》があって、世界《せかい》の人々《ひとびと》は戦争《せんそう》の実態《じったい》をリアルに見《み》ることができるようになったのです。

「これだ!! これが…戦争《せんそう》なんだっ!!」

▲マッキーは、鳥《とり》を愛《あい》していた外人部隊《がいじんぶたい》の男《おとこ》の墓《はか》を見《み》て、戦争《せんそう》をする人間《にんげん》と自然《しぜん》に生《い》きる鳥《とり》から何《なに》かを見《み》つけます。

著者《ちょしゃ》プロフィール

望月三起也《もちづきみきや》

1938年《ねん》神奈川県横浜市《かながわけんよこはまし》生《う》まれ。講談社《こうだんしゃ》の「少年《しょうねん》クラブ」にて『特《とく》ダネを追《お》え』でデビュー。タツノコプロダクションに参加《さんか》。代表作《だいひょうさく》は『秘密探偵《ひみつたんてい》JA』『ワイルド7』『最前線《さいぜんせん》』『ケネディー騎士団《きしだん》』『俺《おれ》の新撰組《しんせんぐみ》』ほか多数《たすう》。

夜明《よあ》けのマッキー

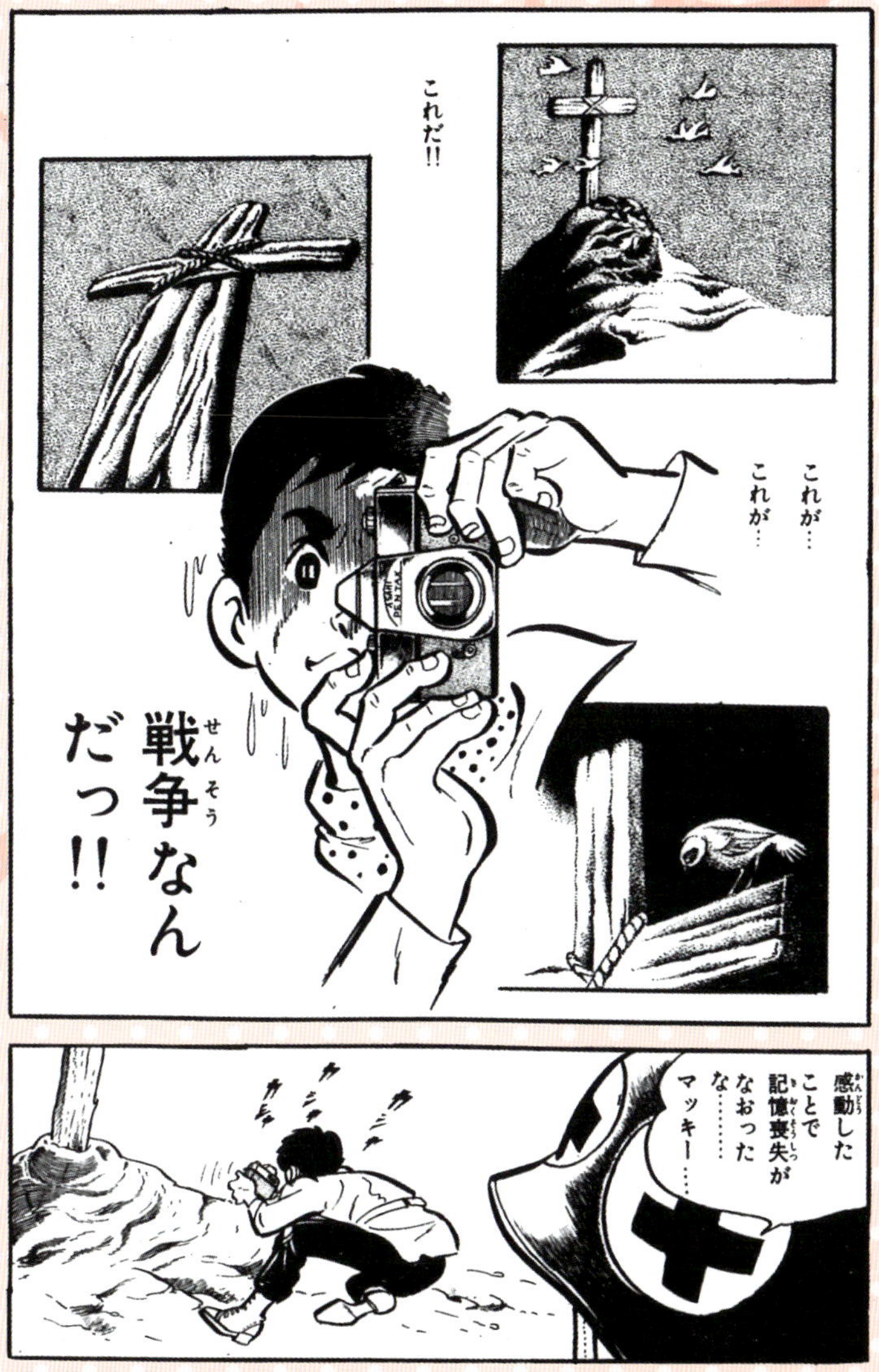

▲マッキーは、自分《じぶん》が撮《と》る戦争写真《せんそうしゃしん》を見《み》つけたとき、失《うしな》っていた記憶《きおく》を取《と》りもどすことができました。

これが戦争《せんそう》なんだ!!
ミッキーは自責《じせき》の念《ねん》から記憶《きおく》を失《うしな》い、感動《かんどう》することで記憶《きおく》を蘇《よみがえ》らせた。

この漫画《まんが》はそういった報道《ほうどう》カメラマンの活躍《かつやく》を描《えが》いています。日本人《にほんじん》のカメラマンのマッキーは、日本《にほん》にいることで世界《せかい》の戦争《せんそう》から逃《のが》れられている日本人《にほんじん》たちのぬるま湯《ゆ》につかった生《い》き方《かた》に疑問《ぎもん》を感《か》じ、アフリカに向《む》かいます。そして世界《せかい》にアフリカの戦争《せんそう》の悲惨《ひさん》さを訴《うった》えていく危険《きけん》な道《みち》を歩《あゆ》み始《はじ》めるのでした。

はじめは衝撃的《しょうげきてき》な瞬間《しゅんかん》を写《うつ》せば、人々《ひとびと》は喜《よろこ》ぶと思《おも》ってシャッターを切《き》っていたのですが、悩《なや》み苦《くるし》しんだ末《すえ》に、真《しん》に伝《つた》えるべき戦争報道《せんそうほうどう》の本質《ほんしつ》に気《き》づきます。

それは残酷《ざんこく》に殺《ころ》された死体《したい》の写真《しゃしん》や、たくさんの人《ひと》を殺《ころ》せる武器《ぶき》の威力《いりょく》を写《うつ》すことではなく、戦争《せんそう》で死《し》んだ人《ひと》の静《しず》かな悲《かな》しみの中《なか》にあったのです。

作品《さくひん》紹介《しょうかい》

『夜明《よあ》けのマッキー』
著《ちょ》：望月三起也《もちづきみきや》　発行《はっこう》：若木書房《わかぎしょぼう》(COMIC MATE)

1970年《ねん》に「週刊少年《しゅうかんしょうねん》サンデー」にて連載《れんさい》された作品《さくひん》。

グラビアを撮《と》ることで有名《ゆうめい》なカメラマンのマッキー（麻樹《まき》）は、自分《じぶん》を探《さが》すためアフリカの紛争地域《ふんそうちいき》に行《い》き、外人部隊《がいじんぶたい》を取材《しゅざい》する報道《ほうどう》カメラマンになった。

彼《かれ》は残酷《ざんこく》で非常《ひじょう》な戦場《せんじょう》のなかで、写真《しゃしん》を通《つう》じて何《なに》を世界《せかい》に伝えていかなければいけないのかを見《み》つける。

©望月三起也

ロバート・キャパ(1913～1954)

ロバート・キャパは戦場《せんじょう》の報道《ほうどう》カメラマンとして世界的《せかいてき》に有名《ゆうめい》な人《ひと》です。彼《かれ》はスペイン内戦《ないせん》、日中戦争《にっちゅうせんそう》、第二次世界大戦《だいにじせかいたいせん》のヨーロッパ戦線《せんせん》、第一次中東戦争《だいいちじちゅうとうせんそう》、第一次《だいいちじ》インドシナ戦争《せんそう》を取材《しゅざい》して写真《しゃしん》を撮《と》り続《つづ》けました。彼《かれ》にちなみ設《もう》けられたロバート・キャパ賞《しょう》を、日本《にほん》の報道《ほうどう》カメラマンの沢田教一《さわだきょういち》が1970年《ねん》にカンボジアで死亡後《しぼうご》、受賞《じゅしょう》しています。

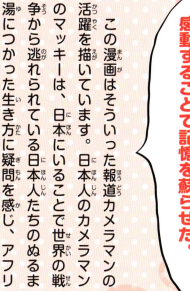

「おれたちの敵《てき》は……戦争《せんそう》そのものなんだ!」

日系人二世《にっけいじんにせい》で構成《こうせい》された第《だい》442部隊《ぶたい》。

第二次世界大戦《だいにじせかいたいせん》のヨーロッパ戦線《せんせん》に参戦《さんせん》したアメリカは、第《だい》442連隊戦闘団《れんたいせんとうだん》という日系《にっけい》アメリカ人《じん》の志願兵《しがんへい》で構成《こうせい》された部《ぶ》隊《たい》を戦場《せんじょう》に投入《とうにゅう》しました。彼《かれ》らの多《おお》くはハワイ出身《しゅっしん》の日系《にっけい》アメリカ人《じん》の二世《にせい》で、日本《にほん》人《じん》の両親《りょうしん》を持《も》つアメリカ国籍《こくせき》の子《こ》どもたちでした。日本語《にほんご》が話《はな》せて顔《かお》つきも日本人《にほんじん》と変《か》わりません。そのため、第《だい》442部隊《ぶたい》は二世部隊《にせいぶたい》と呼《よ》ばれました。

第二次世界大戦後《だいにじせかいたいせんご》、日本《にほん》では太平洋戦争《たいへいようせんそう》をあつかった戦争漫画《せんそうまんが》が数多《かずおお》く出版《しゅっぱん》され、それに続《つづ》いてヨーロッパ戦線《せんせん》を題材《だいざい》にした戦争漫画《せんそうまんが》も多《おお》く描《えが》かれています。しかし、そのなかに二世部隊《にせいぶたい》を題材《だいざい》にした作品《さくひん》は『最《さい》前線《ぜんせん》』以外《いがい》ほとんどありません。それぐらい、日本《にほん》では敵対《てきたい》した連合軍《れんごうぐん》のなかに日《にっ》系人《けいじん》だけで構成《こうせい》された部隊《ぶたい》があったことを知《し》っている人《ひと》は少《すく》なかったのです。

その活躍《かつやく》に注目《ちゅうもく》し、彼《かれ》らの戦《たたか》いを通《とお》して人《にん》間《げん》の心《こころ》の葛藤《かっとう》を描《えが》いていったのが、著者《ちょしゃ》の望《もち》月《づき》三起也《みきや》でした。

二世部隊《にせいぶたい》の家族《かぞく》は日《に》本人《ほんじん》で国籍《こくせき》はアメリカですから、生粋《きっすい》のアメリカ人兵士《じんへいし》たちからは、戦場《せんじょう》で裏切《うらぎ》ったり逃亡《とうぼう》したりするのではないかと警戒《けいかい》されていました。

彼《かれ》らの家族《かぞく》は日本《にほん》とアメリカの戦争《せんそう》が始《はじ》まった時点《じてん》で、政府《せいふ》から保護《ほご》という名目《めいもく》で収容所《しゅうようじょ》に監禁《かんきん》されてしまっていたのです。1942年初頭《ねんしょとう》から、アメリカ西海岸《にしかいがん》に居住《きょじゅう》していた日本人移民《にほんじんいみん》12万人《まんにん》は、財産《ざいさん》を没収《ぼっしゅう》され、全米《ぜんべい》の強制収《きょうせいしゅう》容所《ようじょ》に収容《しゅうよう》されていきました。

日本からの移民だというただそれだけの理由でね
おふくろをだすためには戦争を1日も早く終わらせることだ
おれたちの敵は……戦争そのものなんだ!
こんなものさえなけりゃ…………
軍曹……
名前をきかせてくれるか
その名はミッキー・熊本……
戦争を人一倍にくむ少年たち……
今ここに戦争をにくみただおのれの愛するもののために戦う少年たち
国境を越えた友情の熱い握手は　かわされた!

▲学校《がっこう》を守《まも》るために戦《たたか》ったドイツ人少年兵《じんしょうねんへい》と心《こころ》を通《つう》じ合《あ》わせるミッキー。

戦争《せんそう》に志願《しがん》した二世部隊《にせいぶたい》のミッキーは自《じ》分《ぶん》たちがアメリカに忠誠《ちゅうせい》をつくすことで、家族《かぞく》を収容所《しゅうようじょ》から解放《かいほう》するという目的《もくてき》を持《も》って戦場《せんじょう》で勇敢《ゆうかん》に戦《たたか》っていきます。そうするしか自分《じぶん》たち二世《にせい》の忠誠心《ちゅうせいしん》を母国《ぼこく》アメリカに示《しめ》す方法《ほうほう》がなかったのです。

自分《じぶん》の愛《あい》する者《もの》のために戦《たたか》う。

敵《てき》のドイツ軍人《ぐんじん》からは同盟国《どうめいこく》日本人《にほんじん》の裏切《うらぎ》り者《もの》とそしられ、同《おな》じ連合軍《れんごうぐん》のなかでも彼《かれ》らに対《たい》しては冷《つめ》たい視線《しせん》が向《む》けられる悲《かな》しみをたえながらの戦争《せんそう》でした。

アメリカ軍《ぐん》は442部《ぶ》隊《たい》を激戦地《げきせんち》に派遣《はけん》し、二世《にせい》たちは自分《じぶん》たちの祖国《そこく》に対《たい》する忠誠心《ちゅうせいしん》を勇敢《ゆうかん》さで示《しめ》そうと、進《すす》んで危険《きけん》な戦場《せんじょう》におもむきます。

彼《かれ》らの激闘《げきとう》ぶりはすさまじく、9486人《にん》死亡《しぼう》というほかの部隊《ぶたい》ではありえない数字《すうじ》を記録《きろく》しています。それと同時《どうじ》に第《だい》442部《ぶ》隊《たい》はアメリカ合衆国《がっしゅうこく》史上《しじょう》、もっとも多《おお》くの勲章《くんしょう》を受《う》けた部隊《ぶたい》としてもその名《な》が知《し》られています。

1943年《ねん》、連合軍《れんごうぐん》は反撃《はんげき》に転《てん》じイタリア上陸《じょうりく》を成《な》しとげます。本作《ほんさく》はそこから話《はなし》が始《はじ》まります。第《だい》442部《ぶ》隊《たい》は連合軍《れんごうぐん》のローマへの進撃《しんげき》の途中《とちゅう》で激戦地《げきせんち》モンテ・カッシーノでの戦闘《せんとう》にも参加《さんか》し、多大《ただい》な犠牲《ぎせい》をはらいました。ですが幸運《こううん》にもミッキーたちの小隊《しょうたい》は生《い》き残《のこ》りました。

ドイツに進撃《しんげき》したころ、彼《かれ》は「おふくろを(収容所《しゅうようじょ》から)出《だ》すためには　戦争《せんそう》を一日《いちにち》も早《はや》く終《お》わらせることだ　俺《おれ》たちの敵《てき》は……戦争《せんそう》そのものなんだ!」と語《かた》ります。

敵《てき》はドイツではない。ミッキーは人間《にんげん》の心《こころ》をゆがませにくしみを生《う》み出《だ》し続《つづ》ける戦争《せんそう》が自分《じぶん》たちを苦《くる》しめている真《しん》の敵《てき》だということに気《き》がついていくのです。そして、作中《さくちゅう》ではミッキーと同様《どうよう》に戦争《せんそう》をにくむドイツ人《じん》の少年《しょうねん》たちと敵味方《てきみかた》の垣根《かきね》をこえて握手《あくしゅ》します。

テキサス大隊《だいたい》の救出《きゅうしゅつ》

第《だい》34師団《しだん》141連隊《れんたい》第《だい》1大隊《だいたい》、通称《つうしょう》「テキサス大隊《だいたい》」は1944年《ねん》10月《がつ》24日《にち》、ドイツ軍《ぐん》に包囲《ほうい》され絶体絶命《ぜったいぜつめい》の危機《きき》におちいりました。

司令部《しれいぶ》では、テキサス大隊《だいたい》はほとんど救出《きゅうしゅつ》困難《こんなん》とされ、「失《うしな》われた大隊《だいたい》」と言《い》われました。そこにルーズベルト大統領《だいとうりょう》から第《だい》442連隊《れんたい》戦闘団《せんとうだん》に救出命令《きゅうしゅつめいれい》が下《くだ》ります。

それまでの戦闘《せんとう》で疲《つか》れきっていた彼《かれ》らは、ボージュの森《もり》でドイツ軍《ぐん》と激《はげ》しい戦闘《せんとう》を繰《く》り広《ひろ》げ、テキサス大隊《だいたい》の生存者《せいぞんしゃ》を救出《きゅうしゅつ》することに成功《せいこう》するのです。しかし、そのために216人《にん》が戦死《せんし》し、600人以上《にんいじょう》が重傷《じゅうしょう》を負《お》いました。

作品《さくひん》紹介《しょうかい》

『最前線《さいぜんせん》』
著《ちょ》：望月三起也《もちづきみきや》　発行《はっこう》：大都社《だいとしゃ》

第《だい》1巻《かん》「第《だい》442部隊《ぶたい》」から4巻《かん》まで大都社版《だいとしゃばん》で発売《はつばい》された。2016年《ねん》12月《がつ》時点《じてん》は「二世部隊物語《にせいぶたいものがたり》」全《ぜん》4巻《かん》（文庫版《ぶんこばん》）ホーム社刊《しゃかん》が入手可能《にゅうしゅかのう》。

本作品《ほんさくひん》が描《えが》かれた当時《とうじ》、二世部隊《にせいぶたい》に関《かん》する資料《しりょう》は日本《にほん》にはほとんどなく、著者《ちょしゃ》が苦労《くろう》して資料《しりょう》を入手《にゅうしゅ》して執筆《しっぴつ》に当《あ》たった様子《ようす》が前《まえ》がき、あとがきなどに書《か》かれている。その後《ご》の望月三起也《もちづきみきや》による戦争《せんそう》漫画《まんが》のベースにもなる初期《しょき》の名作《めいさく》。

©望月三起也

著者《ちょしゃ》プロフィール

望月三起也《もちづきみきや》
1938年《ねん》神奈川県《かながわけん》横浜市《よこはまし》生《う》まれ。講談社《こうだんしゃ》の「少年《しょうねん》クラブ」にて『特《とく》ダネを追《お》え』でデビュー。タツノコプロダクションに参加《さんか》。代表作《だいひょうさく》は『秘密探偵《ひみつたんてい》JA』『ワイルド7』『最前線《さいぜんせん》』『ケネディー騎士団《きしだん》』『俺《おれ》の新撰組《しんせんぐみ》』ほか多数《たすう》。

「そういう時《とき》には一《いっ》発《ぱつ》銃《じゅう》を撃《う》ってもいけないのです」

セイラはバーリーハウスで戦争孤児《せんそうこじ》の救援活動《きゅうえんかつどう》をしていた。

近未来《きんみらい》、宇宙移民《うちゅういみん》の自治権《じちけん》を主張《しゅちょう》し、独立《どくりつ》戦争《せんそう》をおこしたコロニー国家《こっか》ジオン公国《こうこく》と地《ち》球連邦《きゅうれんぼう》との戦《たたか》いによって、人類《じんるい》は総人口《そうじんこう》の半《はん》数《すう》を失《うしな》う被害《ひがい》を出《だ》します。ジオンが完成《かんせい》させた巨大《きょだい》ロボット兵器《へいき》「モビルスーツ」は第二次《だいにじ》世界大戦《せかいたいせん》の航空機《こうくうき》のように戦局《せんきょく》を一変《いっぺん》させましたが、地球連邦側《ちきゅうれんぼうがわ》も追《お》ってガンダムを開発《かいはつ》。量産化《りょうさんか》に成功《せいこう》すると、もともと国力《こくりょく》、生産力《せいさんりょく》におとるジオンの戦術的優位性《せんじゅつてきゆういせい》は失《うしな》われ、約《やく》1年後《ねんご》には敗戦《はいせん》へと追《お》いこまれました。

主人公《しゅじんこう》アムロの父《ちち》が試作開発《しさくかいはつ》したガンダムをのせた地球連邦《ちきゅうれんぼう》の宇宙船《うちゅうせん》ホワイトベースには、偶然戦闘《ぐうぜんせんとう》にまきこまれた民間《みんかん》の少年少女《しょうねんしょうじょ》が多数乗船《たすうじょうせん》しており、生《い》きのびるために兵士《へいし》となって前線《ぜんせん》で戦《たたか》いました。そのひとり、少《しょう》女《じょ》セイラの正体《しょうたい》はジオン公国《こうこく》の建国《けんこく》の父《ちち》、ジオン・ズム・ダイクンの娘《むすめ》、アルテイシアでした。ジオン内紛《ないふん》のいざこざで国《くに》を追《お》われ、その後《あと》、偶然《ぐうぜん》ホワイトベースに乗《の》り、皮肉《ひにく》にもジオンと戦《たた》うことになったのです。

激戦《げきせん》の末《すえ》、終戦《しゅうせん》をむかえると、ホワイトベースの仲間《なかま》たちは、軍《ぐん》をはなれる者《もの》、残《のこ》る者《もの》それぞれの人生《じんせい》を歩《ある》いていました。セイラは戦後《せんご》もジオンにはもどらず、地球《ちきゅう》のイギリスに居住《きょじゅう》します。彼女《かのじょ》が身《み》を寄《よ》せたのは広大《こうだい》な荘園《そうえん》を持《も》つ由緒正《ゆいしょただ》しい貴族《きぞく》の館《やかた》、バーリーハウスです。館主《かんしゅ》レディ・バーリーは戦争孤児《せんそうこじ》の救助活動等《きゅうじょかつどうとう》を行《おこな》っていました。その祖先《そせん》、バーリー卿《きょう》は戦争《せんそう》を嫌悪《けんお》し、平和《へいわ》を貴《とうと》ぶ人物《じんぶつ》として歴史《れきし》に名《な》をはせ、その血《ち》を引《ひ》くレディ・バーリーは単《たん》なる慈善家《じぜんか》ではなく骨太《ほねぶと》の平和主義者《へいわしゅぎしゃ》でした。

◀カイがもうひとつ気《き》にかけていたのは、かつて敵側《てきがわ》のスパイとしてホワイトベースに密《みっ》航《こう》してきて、戦闘《せんとう》にまきこまれて死《し》んだ女性《じょせい》がこの地《ち》に残《のこ》した弟《おとうと》と妹《いもうと》の安否《あんぴ》だった。カイは「二人《ふたり》は元気《げんき》よ」というセイラの言葉《ことば》に、安心《あんしん》と感謝《かんしゃ》と、そして尊敬《そんけい》を感《かん》じるのだった。

ポロの勝負《しょうぶ》で決着《けっちゃく》をつけることを提案《ていあん》したレディ・バーリー。

ある日《ひ》、セイラの身《み》を心配《しんぱい》したホワイトベースの仲間《なかま》だったミライのメッセージを伝《つた》えに、カイがバーリーハウスを訪《おとず》れます。その日《ひ》はポロの試合《しあい》が行《おこな》われる予定《よてい》でしたが、敵《てき》チームはジオン軍《ぐん》の残党《ざんとう》が化《ば》けたにせものたちで、セイラをジオンの新《あら》たなる象徴《しょうちょう》として掲《かか》げるために宇宙《うちゅう》に連《つ》れ去《さ》りにきたのです。地球側《ちきゅうがわ》・イギリスの情報機関《じょうほうきかん》M−6はその情《じょう》報《ほう》をキャッチし、準備万端《じゅんびばんたん》立《た》ちはだかります。

ポロの試合《しあい》は開始《かいし》されますが、すぐにジオン軍《ぐん》の正体《しょうたい》はばれてしまい、いよいよ両軍《りょうぐん》一《いっ》触即発《しょくそくはつ》となったとき、レディ・バーリーはそのあいだに入《はい》り、先祖《せんぞ》バーリー卿《きょう》が戦争《せんそう》に反《はん》対《たい》しオリンピックに参加《さんか》した精神《せいしん》を話《はな》し、この争《あらそ》いが火種《ひだね》となって再《ふたた》び戦争《せんそう》を引《ひ》き起《お》こす危険性《きけんせい》をさとしてこう言《い》います。

「そういう時《とき》には一発《いっぱつ》 銃《じゅう》を撃《う》ってもいけないのです」

そして戦闘《せんとう》ではなく、ポロの試合《しあい》で決着《けっちゃく》をつけることを受諾《じゅだく》させます。屈強《くっきょう》な軍隊《ぐんたい》も、にわかじこみではゲームに勝《か》てるはずもなく、戦端《せんたん》をひらくことなく無事騒動《ぶじそうどう》はおさまりました。何度《なんど》も命《いのち》の危険《きけん》にさらされた仲間《なかま》たち同様《どうよう》に、もう二度《にど》と戦争《せんそう》はやりたくないとセイラもカイも思《おも》っていました。セイラは新《あら》たな戦争《せんそう》の火種《ひだね》を生《う》まないためにも、過去《かこ》ではなく、今《いま》の自分《じぶん》を生《い》きるのでした。

宇宙《うちゅう》に人《ひと》が移《うつ》り住《すむ》むほど科学《かがく》が進歩《しんぽ》した未来《みらい》でも、人類《じんるい》が平和《へいわ》を維持《いじ》するための基本《きほん》はきっと今《いま》と変《か》わらないでしょう。宇宙《うちゅう》に住《す》む人々《ひとびと》が新《あら》たに産《う》む考《かんが》え方《かた》と、古《ふる》くからの文化《ぶんか》の対立《たいりつ》、生《う》まれた場所《ばしょ》や境遇《きょうぐう》のちがいをこえてわかりあうにはどうすればいいのかを若《わか》い世代《せだい》に問《と》い、希望《きぼう》をたくす宇宙世紀《うちゅうせいき》の物語《ものがたり》がガンダムなのです。

著者《ちょしゃ》プロフィール

安彦良和《やすひこよしかず》

1947年生《ねんう》まれ。北海道紋別郡遠軽町出身《ほっかいどうもんべつぐんえんがるちょうしゅっしん》。虫《むし》プロ養《よう》成学校《せいがっこう》からアニメーターになる。アニメーション制作《せいさく》『宇《う》宙戦艦《ちゅうせんかん》ヤマト』『勇者《ゆうしゃ》ライディーン』『アリオン』『巨神《ジャイアント》ゴーグ』『わんぱく大昔《おおむかし》クムクム』ほか多数《たすう》。その後《ご》、漫画作品《まんがさくひん》として『虹色《にじいろ》のトロッキー』『天《てん》の血脈《けつみゃく》』など多《おお》くの作品《さくひん》を制作《せいさく》。『ナムジ』で第《だい》19回日本漫画家協会賞優秀賞《かいにほんまんがかきょうかいしょうゆうしゅうしょう》、『王道《おうどう》の狗《いぬ》』で第《だい》4回文化庁《かいぶんかちょう》メディア芸術祭《げいじゅつさい》マンガ部門優秀賞《ぶもんゆうしゅうしょう》を受賞《じゅしょう》、『機動戦士《きどうせんし》ガンダム THE ORIGIN』で第《だい》43回《かい》星雲賞《せいうんしょう》(コミック部門《ぶもん》)を受賞《じゅしょう》した。

作品《さくひん》紹介《しょうかい》

『機動戦士《きどうせんし》ガンダム THE ORIGIN (24) 特別編《とくべつへん》』「アルテイシア0083」

著《ちょ》：安彦良和《やすひこよしかず》　原案《げんあん》：矢立肇《やたてはじめ》、富野由悠季《とみのよしゆき》　メカニックデザイン：大河原邦男《おおかわらくにお》　発行《はっこう》：KADOKAWA

テレビアニメ『機動戦士《きどうせんし》ガンダム』は身長約《しんちょうやく》18メートルの巨大《きょだい》ロボット兵器《へいき》「ガンダム」を操縦《そうじゅう》する少年《しょうねん》アムロが巻《ま》きこまれた戦争《せんそう》を描《えが》いた作品《さくひん》。『機動戦士《きどうせんし》ガンダム THE ORIGIN』ではストーリーや登場人物《とうじょうじんぶつ》のエピソードを詳細《しょうさい》に補完《ほかん》し漫画化《まんがか》。

近未来《きんみらい》、人類《じんるい》は人口《じんこう》が増《ふ》えすぎたため、宇宙《うちゅう》に建造《けんぞう》した大規模《だいきぼ》な円筒型《えんとうがた》スペースコロニーに移民《いみん》を始《はじ》めたが、やがて地球《ちきゅう》に住《す》む人《ひと》たちとのあいだで戦争《せんそう》が勃発《ぼっぱつ》。その原因《げんいん》は現代《げんだい》の社会《しゃかい》とそう変《か》わらず、格差《かくさ》や差別《さべつ》に端《たん》を発《はっ》する政治《せいじ》と経済《けいざい》の問題《もんだい》だった。宇宙移民《うちゅういみん》は子《こ》どもを産《う》み、育《そだ》て世代《せだい》を重《かさ》ねてゆくにつれて、ますます地球《ちきゅう》との格差《かくさ》を感《かん》じるようになり、独立戦争《どくりつせんそう》へといたってしまった。

ここでは終戦後《しゅうせんご》の後日談《ごじつだん》として最終巻《さいしゅうかん》に掲載《けいさい》された「アルテイシア0083」を紹介《しょうかい》。パロディ的《てき》な味《あじ》つけも楽《たの》しい番外編《ばんがいへん》で、ガンダム世界《せかい》の魅力《みりょく》がつまっている。

©Yoshikazu YASUHIKO 2015
©創通・サンライズ

「写《しゃ》真《しん》週《しゅう》報《ほう》」に見《み》る太《たい》平《へい》洋《よう》戦《せん》争《そう》

「写真週報《しゃしんしゅうほう》」とは、1938年《ねん》2月《がつ》に創刊《そうかん》され、1945年《ねん》7月《がつ》に最終巻《さいしゅうかん》が出《で》た政府《せいふ》の広報誌《こうほうし》でした。発行当初《はっこうとうしょ》は政府《せいふ》の「内閣情報部《ないかくじょうほうぶ》」が発行《はっこう》していましたが、のちに設立《せつりつ》された「情報局《じょうほうきょく》」が編集権《へんしゅうけん》をもって発行《はっこう》を続《つづ》けていきました。

1941年《ねん》12月《がつ》、日本《にほん》はアメリカとイギリスに対《たい》して太平洋戦争《たいへいようせんそう》を始《はじ》めました。日本軍《にほんぐん》は開戦当初《かいせんとうしょ》は勢《いきお》いがありましたが、1942年《ねん》6月《がつ》のミッドウェー海戦《かいせん》でアメリカ軍《ぐん》に敗《やぶ》れてしまいます。日本軍《にほんぐん》は多大《ただい》な損害《そんがい》を受《う》け、戦局《せんきょく》は一気《いっき》に劣勢《れっせい》になりました。

その年《とし》の7月《がつ》に発行《はっこう》された「写真週報《しゃしんしゅうほう》」には、日本《にほん》が戦争《せんそう》をしている理由《りゆう》を説明《せつめい》するページが載《の》せられていました（図《ず》1）が、その少《すこ》し前《まえ》のミッドウェー海戦《かいせん》で、多大《ただい》な被害《ひがい》を出《だ》した事実《じじつ》は、一切国民《いっさいこくみん》には知《し》らされませんでした。

それから半年後《はんとしご》に発行《はっこう》された1943年《ねん》1月発売《がつはつばい》の号《ごう》では、アメリカ、イギリスからの爆撃機《ばくげきき》が日本《にほん》への爆撃《ばくげき》を行《おこな》うことへの警戒《けいかい》が呼《よ》びかけられていました（図《ず》2）。1942年《ねん》4月《がつ》に、アメリカ軍《ぐん》は空母《くうぼ》から日本《にほん》を空襲《くうしゅう》しています。このことは、戦争《せんそう》は勝《か》っているとばかり思《おも》っていた日本《にほん》の国民《こくみん》にとってはたいへんな衝撃《しょうげき》でした。

さらに1944年《ねん》6月《がつ》からは、日本本土《にほんほんど》に対《たい》して、本格的《ほんかくてき》な空爆《くうばく》が開始《かいし》されました。その爆撃機《ばくげきき》は、「写真週報《しゃしんしゅうほう》」で書《か》かれた「B-17」ではなく、さらに新型《しんがた》の「B-29」だったのです。

本書《ほんしょ》で紹介《しょうかい》している作品《さくひん》の舞台《ぶたい》となった場所《ばしょ》を、地図《ちず》上《じょう》に赤色《あかいろ》で示《しめ》しています。

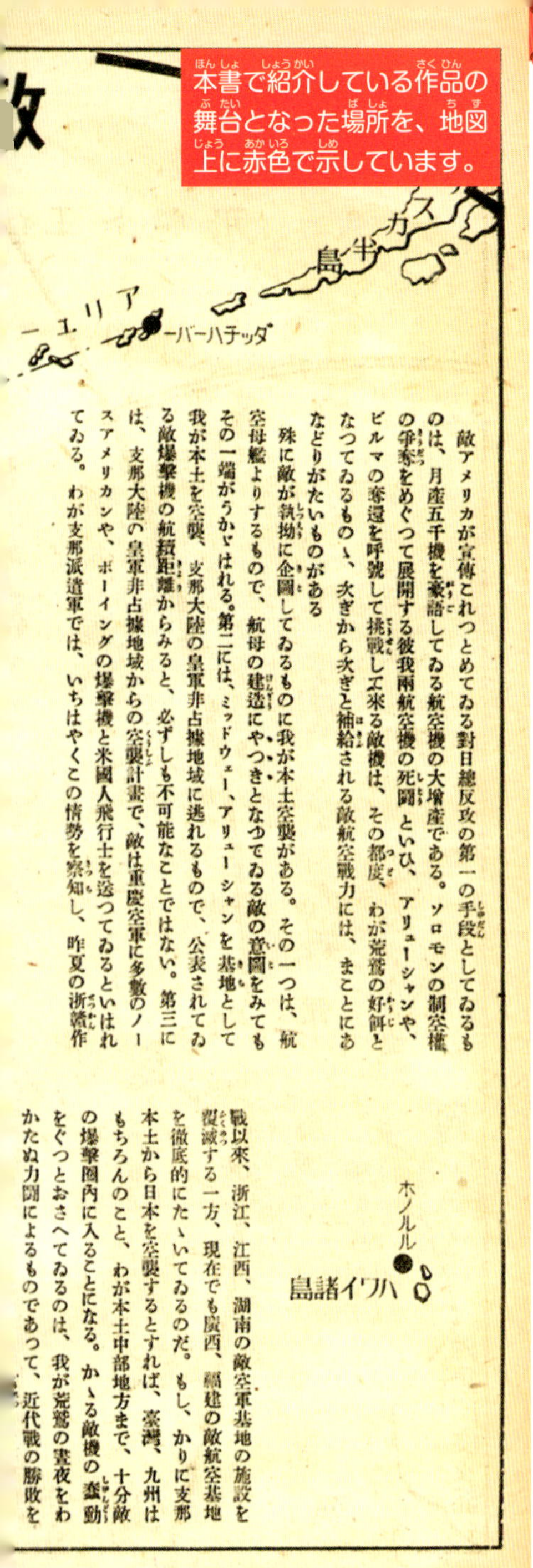

敵アメリカが宣傳これつとめてゐる對日總反攻の第一の手段としてゐるものは、月産五千機を豪語してゐる航空機の大增産である。ソロモンの制空權の爭奪をめぐつて展開する彼我兩航空機の死鬪といひ、アリューシャンや、ビルマの奪還を呼號して挑戰して來る敵機は、その都度、わが荒鷲の好餌となつてゐるものゝ、次ぎから次ぎと補給される敵航空戰力には、まことにあなどりがたいものがある

殊に敵が執拗に企圖してゐるものに我が本土空襲がある。その一つは、航空母艦よりするもので、航母の建造にやつきとなつてゐる敵の意圖をみてもその一端がうかゞはれる。第二には、ミッドウェー、アリューシャンを基地として我が本土を空襲、支那大陸の皇軍非占據地域に逃れるもので、公表されてゐる敵爆撃機の航續距離からみると、必ずしも不可能なことではない。第三には、支那大陸の皇軍非占據地域からの空襲計畫で、敵は重慶空軍に多數のノースアメリカンや、ボーイングの爆撃機と米國人飛行士を送つてゐるといはれてゐる。わが支那派遣軍では、いちはやくこの情勢を察知し、昨夏の浙贛作戰以來、浙江、江西、湖南の敵空軍基地の施設を覆滅する一方、現在でも廣西、福建の敵航空基地を徹底的にたゝいてゐるのだ。もし、かりに支那本土から日本を空襲するとすれば、臺灣、九州はもちろんのこと、わが本土中部地方まで、十分敵の爆撃圏内に入ることになる。かゝる敵機の蠢動をぐつとおさへてゐるのは、我が荒鷲の晝夜をわかたぬ力鬪によるものであつて、近代戰の勝敗を

▲（図《ず》2）「写真週報《しゃしんしゅうほう》」1943年《ねん》1月号《がつごう》。もしも空爆《くうばく》されたら、という注意事項《ちゅういじこう》が政府《せいふ》の広報《こうほう》から出《だ》されるようになると、政府《せいふ》の出《だ》す情報《じょうほう》に疑問《ぎもん》を感《かん》じるようになった国民《こくみん》もいました。

▶1943年《ねん》1月《がつ》20日《か》発売《はつばい》の255号表紙《ごうひょうし》。

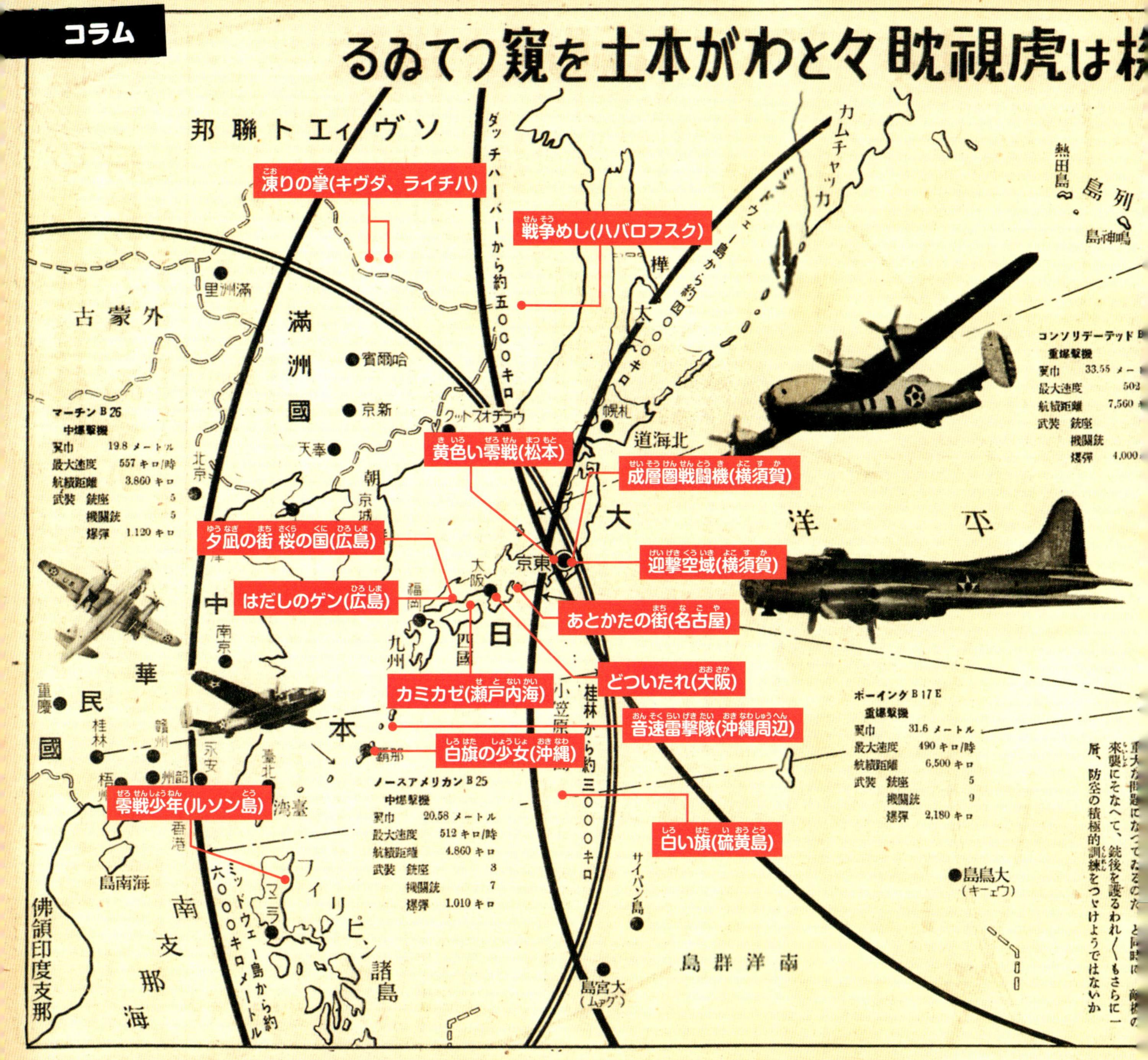

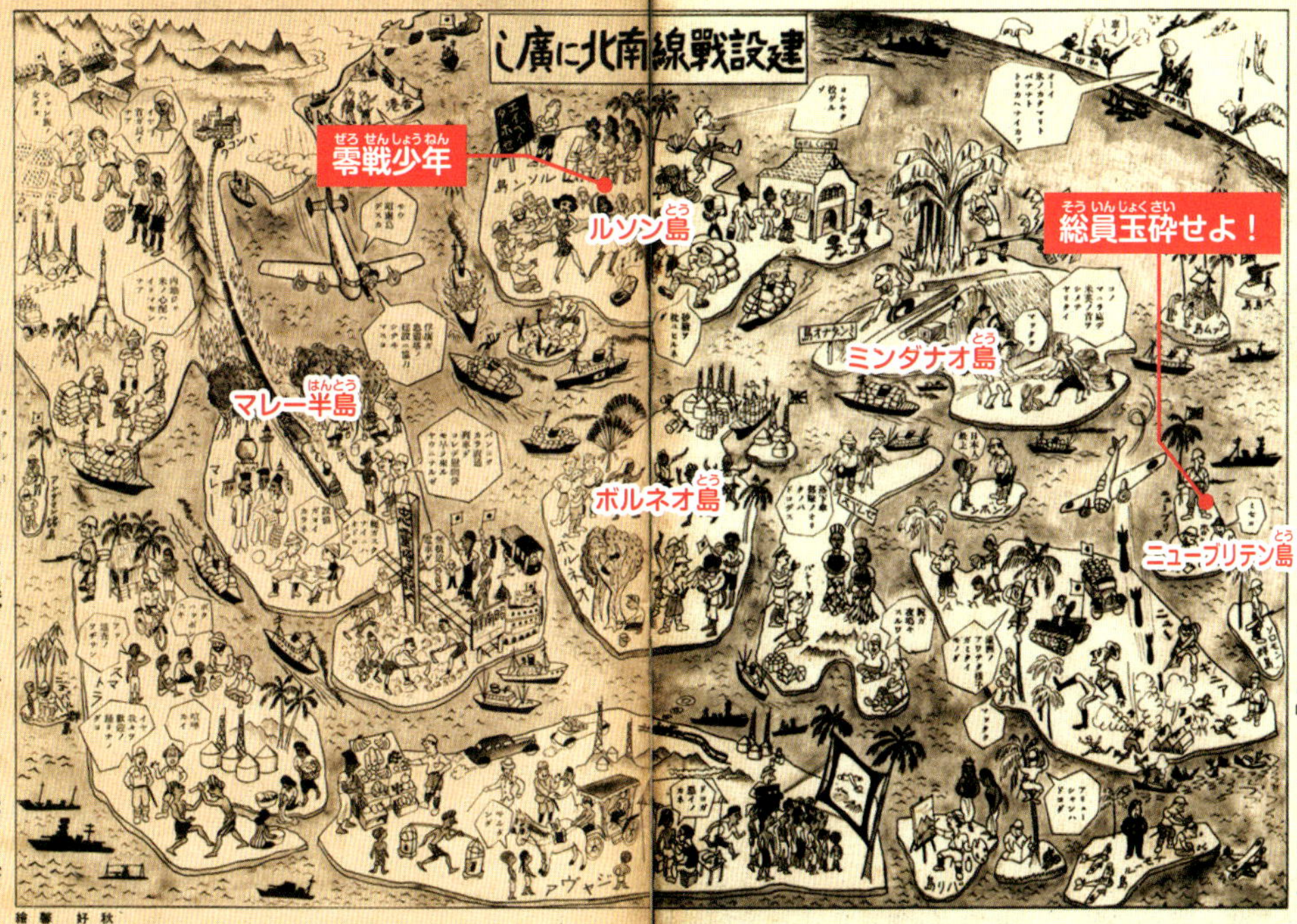

時の立札

昭和十七年七月廿二日

（水曜日）

建設戰線南北に廣し

大東亞戰爭の成果は、この廣い〳〵占領地區の建設を生すか殺すかにかゝつてゐる。今、途上にある復興を完成させれば、將來は大したものになるが、今は「南の資源は戰爭の資材」にあてなければならない。例へば、石油は自動車と飛行機と、どちらに先に與へなければならないか、ご存知の通り。高度國防國家の完成までは、いきなり物を手で握り、口に入れようなどと考へてはならない

寫眞週報

▲(図《ず》1)「写真週報《しゃしんしゅうほう》」1942年《ねん》7月発売号《がつはつばいごう》。発展途上《はってんとじょう》にある南方《なんぽう》の島々《しまじま》を日本《にほん》が占領《せんりょう》し、その資源《しげん》を有効《ゆうこう》に活用《かつよう》し、将来《しょうらい》の繁栄《はんえい》を目指《めざ》すという目的《もくてき》が示《しめ》されています。そしてそのためには、今《いま》は資源《しげん》をすべて軍備《ぐんび》にあてないといけないと書《か》かれています。

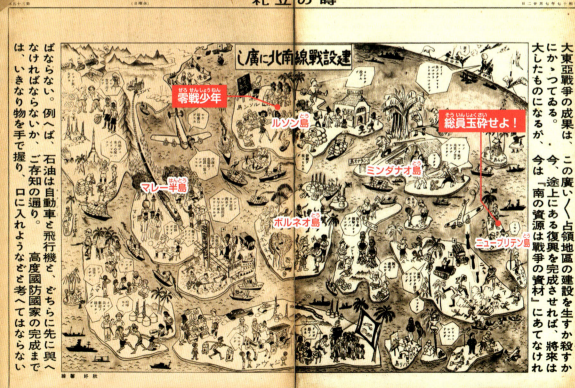

国《こく》民《みん》に過《か》大《だい》な負《ふ》担《たん》を強《きょう》要《よう》していった戦《せん》争《そう》

「写真週報《しゃしんしゅうほう》」の1943年《ねん》12月発売号《がつはつばいごう》では、さまざまな場所《ばしょ》で戦《たたか》い、正月《しょうがつ》も日本《にほん》に帰《かえ》れない兵隊《へいたい》さんに慰問袋《いもんぶくろ》（戦地《せんち》で苦労《くろう》している兵士《へいし》のために送《おく》られた日用品《にちようひん》や手紙《てがみ》、娯楽品《ごらくひん》などのこと）を送《おく》るという特集《とくしゅう》が組《く》まれていました（図《ず》3）。

また同《おな》じ号《ごう》では、国民《こくみん》がどのように働《はたら》いて戦争《せんそう》に勝《か》てばいいのか、わかりやすく漫画《まんが》で描《か》いた図《ず》が載《の》せられています（図《ず》4）。

▲（図《ず》4）「写真週報《しゃしんしゅうほう》」1943年《ねん》12月発売号《がつはつばいごう》。暖房《だんぼう》せずに、電力《でんりょく》を節約《せつやく》すればアルミニウムの生産量《せいさんりょう》があがる、内職《ないしょく》をすれば魚《ぎょ》雷《らい》がたくさん作《つく》れる、お金《かね》から戦艦《せんかん》が作《つく》れる、野菜《やさい》の運搬《うんぱん》を石《せき》炭輸送《たんゆそう》に切《き》り替《か》えるなど、戦争《せんそう》が日常生活《にちじょうせいかつ》の過《す》ごし方《かた》にすべて直結《ちょっけつ》しているように書《か》かれています。

▲（図《ず》3）「写真週報《しゃしんしゅうほう》」1943年《ねん》12月発売号《がつはつばいごう》。当時《とうじ》、大家族《だいかぞく》の多《おお》かった日本《にほん》の家庭《かてい》の居間《いま》で、家族《かぞく》が一《いち》丸《がん》となって兵隊《へいたい》さんに送《おく》る手紙《てがみ》を書《か》いている写真《しゃしん》が掲載《けいさい》されています。ほかにも子《こ》どもたちががんばって勉強《べんきょう》し、兵隊《へいたい》さんを応援《おうえん》する絵《え》が載《の》せられ、それが国民《こくみん》の目指《めざ》すべき姿《すがた》だと報《ほう》じられました。

戦《せん》争《そう》年《ねん》表《ぴょう》（1904〜1945）

年《ねん》	月日《がっぴ》	出来事《できごと》
1904	2月《がつ》8日《か》	日露戦争開戦《にちろせんそうかいせん》。朝鮮半島《ちょうせんはんとう》と満洲南部《まんしゅうなんぶ》をめぐる大日本帝国《だいにっぽんていこく》（日本《にほん》）とロシア帝国《ていこく》との戦争《せんそう》。
1914	7月《がつ》28日《にち》	第一次世界大戦開戦《だいいちじせかいたいせんかいせん》。サラエヴォで、オーストリア＝ハンガリー帝国皇《ていこくこう》位継承者《いけいしょうしゃ》フランツ・フェルディナント大公夫妻《たいこうふさい》がセルビア人民族主義者《じんみんぞくしゅぎしゃ》に暗殺《あんさつ》された事件《じけん》をきっかけに、オーストリア＝ハンガリーが、セルビア王国《おうこく》に宣戦布告《せんせんふこく》。両国《りょうこく》をそれぞれ支持《しじ》するドイツ帝国《ていこく》とロシア帝国《ていこく》も戦争状態《せんそうじょうたい》となり、ヨーロッパ各国《かっこく》は次々《つぎつぎ》に戦争状態《せんそうじょうたい》に突入《とつにゅう》していった。
1914	8月《がつ》23日《にち》	大日本帝国《だいにっぽんていこく》（日本《にほん》）がドイツ帝国《ていこく》に宣戦布告《せんせんふこく》。
1939	9月《がつ》1日《にち》	第二次世界大戦開戦《だいにじせかいたいせんかいせん》。アドルフ・ヒトラーひきいるナチス政権下《せいけんか》のドイツがポーランドに侵攻《しんこう》。ポーランドと相互援助条約《そうごえんじょじょうやく》を結《むす》ぶフランス、イギリスが9月《がつ》3日《か》にドイツに宣戦布告《せんせんふこく》し、第二次世界大戦《だいにじせかいたいせん》が始《はじ》まった。
1940	9月《がつ》27日《にち》	日独伊三国軍事同盟条約調印《にちどくいさんごくぐんじどうめいじょうやくちょういん》。以降《いこう》、日本《にほん》、ドイツ、イタリアを中心《ちゅうしん》とした同盟国《どうめいこく》は「枢軸国《すうじくこく》」とも呼《よ》ばれる。
1941	12月《がつ》8日《か》	太平洋戦争開戦《たいへいようせんそうかいせん》。大日本帝国《だいにっぽんていこく》（日本《にほん》）が、アメリカ合衆国領《がっしゅうこくりょう》ハワイの真珠湾《しんじゅわん》を奇襲攻撃《きしゅうこうげき》し、アメリカを中心《ちゅうしん》とした連合国《れんごうこく》と、大日本帝国《だいにっぽんていこく》（日本《にほん》）を中心《ちゅうしん》とした枢軸国《すうじくこく》のあいだで、太平洋戦争《たいへいようせんそう》が開戦《かいせん》。
1942	6月《がつ》5日《か》〜7日《か》	ミッドウェー海戦《かいせん》。ミッドウェー島周辺《とうしゅうへん》において大日本帝国《だいにっぽんていこく》（日本《にほん》）海軍《かいぐん》とアメリカ合衆国《がっしゅうこく》とのあいだでおこなわれた艦隊決戦《かんたいけっせん》。日本《にほん》は大損害《だいそんがい》を出《だ》して敗戦《はいせん》したことで、戦争《せんそう》の主導権《しゅどうけん》を失《うしな》った。
1942	8月《がつ》7日《か》	ガダルカナル島《とう》の戦《たたか》い。大日本帝国《だいにっぽんていこく》（日本《にほん》）が占領《せんりょう》していた西太平洋《にしたいへいよう》ソロモン諸島《しょとう》のガダルカナル島《とう》をめぐり、日本軍《にほんぐん》とアメリカ合衆国軍《がっしゅうこくぐん》とのあいだでおこなわれた陸海《りくかい》の総力戦《そうりょくせん》。
1943	2月《がつ》1日《にち》	大日本帝国《だいにっぽんていこく》（日本《にほん》）軍《ぐん》がガダルカナル島《とう》から撤退開始《てったいかいし》。
1943	9月《がつ》8日《か》	枢軸国《すうじくこく》のイタリアが降伏《こうふく》。
1944	6月《がつ》15日《にち》〜7月《がつ》9日《か》	サイパン島《とう》の戦《たたか》い。マリアナ諸島《しょとう》サイパン島《とう》をめぐり、大日本帝国《だいにっぽんていこく》（日本《にほん》）陸軍《りくぐん》の守備隊《しゅびたい》とアメリカ合衆国軍《がっしゅうこくぐん》のあいだでおきた陸上戦闘《りくじょうせんとう》。日本軍《にほんぐん》の敗北《はいぼく》に終《お》わり、サイパン守備隊《しゅびたい》は玉砕《ぎょくさい》し、全滅《ぜんめつ》した。この島《しま》が連合国側《れんごうこくがわ》の手《て》に渡《わた》ったことで、爆撃機《ばくげきき》B-29の航続距離内《こうぞくきょりない》に日本本土《にほんほんど》すべてが入《はい》ることとなり、以降《いこう》、本土《ほんど》への爆撃《ばくげき》が本格化《ほんかくか》する。
1944	9月《がつ》15日《にち》〜11月《がつ》25日《にち》	ペリリュー島《とう》の戦《たたか》い。パラオ諸島《しょとう》ペリリュー島《とう》をめぐり、大日本帝国《だいにっぽんていこく》（日本《にほん》）陸軍《りくぐん》の守備隊《しゅびたい》と、アメリカ合衆国軍《がっしゅうこくぐん》のあいだでおきた陸上戦闘《りくじょうせんとう》。
1944	10月《がつ》23日《にち》〜25日《にち》	レイテ沖海戦《おきかいせん》。フィリピン周辺海域《しゅうへんかいいき》にて大日本帝国《だいにっぽんていこく》（日本《にほん》）海軍《かいぐん》と、アメリカ合衆国海軍《がっしゅうこくかいぐん》を中心《ちゅうしん》とする連合国軍《れんごうこくぐん》のあいだでおきた史上最大級《しじょうさいだいきゅう》の海戦《かいせん》。大日本帝国《だいにっぽんていこく》（日本《にほん》）海軍《かいぐん》は、壊滅的《かいめつてき》な打撃《だげき》をうけた。
1944	11月《がつ》14日《にち》	東京《とうきょう》への空襲《くうしゅう》が始《はじ》まる。
1945	2月《がつ》19日《にち》〜3月《がつ》26日《にち》	硫黄島《いおうとう》の戦《たたか》い。東京都小笠原諸島硫黄島《とうきょうとおがさわらしょとういおうとう》をめぐる、大日本帝国《だいにっぽんていこく》（日本《にほん》）陸軍《りくぐん》の守備隊《しゅびたい》とアメリカ合衆国軍《がっしゅうこくぐん》のあいだでおきた陸上戦闘《りくじょうせんとう》。日本軍《にほんぐん》の守備隊《しゅびたい》は玉砕《ぎょくさい》し全滅《ぜんめつ》。この戦《たたか》いの結果《けっか》、連合国軍《れんごうこくぐん》は日本本土爆撃《にほんほんどばくげき》に理想的《りそうてき》な基地《きち》を手《て》に入《い》れることとなった。
1945	3月《がつ》10日《にち》	東京大空襲《とうきょうだいくうしゅう》。この日以降《ひいこう》も続《つづ》く東京《とうきょう》への106回の空襲《くうしゅう》のなかで、特《とく》に大《おお》きな被害《ひがい》を出《だ》した日《ひ》。アメリカ軍《ぐん》の無差別爆撃《むさべつばくげき》により、この日《ひ》だけで、世界史上最大《せかいしじょうさいだい》の10万人《まんにん》以上《いじょう》の死者《ししゃ》が出《で》た。
1945	3月《がつ》12・19日《にち》 5月《がつ》14日《にち》	名古屋大空襲《なごやだいくうしゅう》。東京《とうきょう》とおなじく、ほかの都市《とし》でも無差別爆撃《むさべつばくげき》がおこなわれていた。航空機産業《こうくうきさんぎょう》を支《ささ》えていた名古屋《なごや》の被害《ひがい》は特《とく》に大《おお》きかった。
1945	3月《がつ》26日《にち》〜6月《がつ》23日《にち》	沖縄《おきなわ》の戦《たたか》い。日本本土《にほんほんど》への最後《さいご》のとりでである沖縄諸島《おきなわしょとう》にて、アメリカ軍《ぐん》を主《しゅ》とした連合国軍《れんごうこくぐん》と大日本帝国《だいにほんていこく》（日本《にほん》）軍《ぐん》のあいだでおきた最大規模《さいだいきぼ》の総力戦《そうりょくせん》。太平洋戦争《たいへいようせんそう》における最後《さいご》の戦闘《せんとう》となる。
1945	4月《がつ》30日《にち》	ナチス政権下《せいけんか》のドイツ国家元首《こっかげんしゅ》アドルフ・ヒトラー、ドイツの敗北《はいぼく》をさとり自殺《じさつ》。
1945	5月《がつ》8日《か》	枢軸国《すうじくこく》のドイツが無条件降伏《むじょうけんこうふく》。
1945	7月《がつ》26日《にち》	ポツダム宣言《せんげん》。アメリカ合衆国《がっしゅうこく》、イギリス、中国《ちゅうごく》の各首脳《かくしゅのう》により、大日本帝国《だいにっぽんていこく》（日本《にほん》）へ「全日本軍《ぜんにほんぐん》の無条件降伏《むじょうけんこうふく》」などを求《もと》めた13条《じょう》から成《な》る宣言《せんげん》が発表《はっぴょう》される。
1945	8月《がつ》6日《か》	広島《ひろしま》に原子爆弾投下《げんしばくだんとうか》。アメリカ合衆国軍《がっしゅうこくぐん》が日本《にほん》の広島市《ひろしまし》に対《たい》し、世界《せかい》で初《はじ》めて核兵器《かくへいき》を実戦《じっせん》で使用《しよう》。9万《まん》から16万《まん》6000人以上《にんいじょう》が数《すう》ヵ月以内《げついない》に死亡《しぼう》。それ以降《いこう》も原爆症《げんばくしょう》と呼《よ》ばれる放射線障害《ほうしゃせんしょうがい》により死者《しぼう》が出続《でつづ》けた。
1945	8月《がつ》9日《か》	長崎《ながさき》に原子爆弾投下《げんしばくだんとうか》。アメリカ合衆国軍《がっしゅうこくぐん》が日本《にほん》の長崎市《ながさきし》に対《たい》し核兵器《かくへいき》を使用《しよう》。7万《まん》3900人以上《にんいじょう》が数《すう》ヵ月以内《げついない》に死亡《しぼう》し、それ以降《いこう》も原爆症《げんばくしょう》と呼《よ》ばれる放射線障害《ほうしゃせんしょうがい》により死者《ししゃ》が出続《でつづ》けた。
1945	8月《がつ》14日《にち》	大日本帝国《だいにっぽんていこく》（日本《にほん》）がポツダム宣言《せんげん》を受諾《じゅだく》。
1945	8月《がつ》15日《にち》	第二次世界大戦《だいにじせかいたいせん》／太平洋戦争終戦《たいへいようせんそうしゅうせん》。大日本帝国《だいにっぽんていこく》（日本《にほん》）にて、昭和天皇《しょうわてんのう》による『終戦《しゅうせん》の詔書《しょうしょ》（大東亜戦争終結《だいとうあせんそうしゅうけつ》ノ詔書《しょうしょ》）』の「玉音放送《ぎょくおんほうそう》」がおこなわれ、第二次世界大戦《だいにじせかいたいせん》の組織戦《そしきせん》が終結《しゅうけつ》。

※本書《ほんしょ》で紹介《しょうかい》している作品《さくひん》に関係《かんけい》のある出来事《できごと》を中心《ちゅうしん》に掲載《けいさい》しています。

●災害関連 参考文献
『あの戦争(上、中、下)』(編:産経新聞社　発行:集英社)
『太平洋戦争通史』(発行:文芸社)
『知識ゼロからの太平洋戦争入門』(監修:半藤一利　発行:幻冬舎)
『アジア・太平洋戦争史――同時代人はどう見ていたか(上・下)』(著:山中恒　発行:岩波書店)
『ドキュメント太平洋戦争への道―「昭和史の転回点」はどこにあったか』(著:半藤一利　発行:PHP研究所)
『いまこそ読みとく太平洋戦争史』(著:諏訪正頼　発行:アーク出版)
『太平洋戦争史　太平洋戦争』(発行:東洋経済新報社)
『太平洋戦争新聞』(著:歴史記者クラブ昭和班　発行:廣済堂出版)
『ゲンブンマガジン 太平洋戦争』(著:小林源文)
『朝日グラフ』(発行:朝日新聞社)
『写真週報』(発行:内閣情報局)
『戦史叢書』(編:防衛庁防衛研修所戦史室　発行:朝雲新聞社)

監修　宮川総一郎
1957年生まれ。日本出版美術家連盟所属。マンガジャパン所属。執筆書籍には研究書『松本零士　創作ノート』(KKベストセラーズ)、『松本零士が教えてくれた人生の一言』(クイン出版)集英社手塚赤塚賞受賞。学研「学習」でデビュー。漫画作品には『マネーウォーズ』『金融のマジシャン』(集英社)『兜町ウォーズ』(日本文芸社)ほか多数。

漫画から学ぶ生きる力　戦争編

発行日 2016年12月25日 初版第1刷発行

●監修　宮川総一郎
●企画／製作　スタジオ・ハードデラックス
●編集製作　オペラハウス
●デザイン　スタジオ・ハードデラックス

発行者　高橋信幸
発行所　株式会社ほるぷ出版
〒169-0051　東京都新宿区西早稲田2-20-9
Tel　03-5291-6781　FAX　03-5291-6782　http://www.holp-pub.co.jp
印刷・製本　シナノ印刷株式会社

[表紙・カバークレジット]
©おざわゆき／講談社　©こうの史代　©松本零士

ISBN978-4-593-58744-5 NDC370 48P　29.7×21cm

無断転載・複写を禁じます。定価はカバーに表示してあります。
落丁・乱丁のある場合はお取り替えいたします。